小说界文库

YO-AAV-094

桃之夭夭

王安忆 著

上海文艺出版社

图书在版编目(CIP)数据

桃之夭夭/王安忆 著 – 上海:上海文艺出版社,2003.12
(小说界文库)
ISBN 7 – 5321 – 2621 – 8
Ⅰ.桃… Ⅱ.王… Ⅲ.长篇小说 – 中国 – 当代 Ⅳ.I247.5
中国版本图书馆 CIP 数据核字(2003)第 092829 号

责任编辑: 谢 锦
封面设计: 袁银昌

桃之夭夭
王安忆 著
上海文艺出版社出版、发行
地址:上海绍兴路 74 号
电子信箱:cslcm@public1.sta.net.cn
网址:www.slcm.com
新华书店经销 上海锦佳印刷发展公司印刷
开本 889×1194 1/32 印张 9 字数 109,000
2003 年 12 月第 1 版 2003 年 12 月第 1 次印刷
印数:1—30,100 册
ISBN 7 – 5321 – 2621 – 8/I·2051 定价:20.00 元

告读者 如发现本书有质量问题请与印刷厂质量科联系
T:021 – 56401314

出版说明

　　"小说界文库"是上海文艺出版社的重点丛书,出版当代作家的小说力作,展示新时期以来小说创作的实绩,凡在我社发表、出版的具有高水平的小说创作均可收入。

"小说界文库"包括以下系列:

◎　长篇小说系列

◎　西部小说系列

◎　旅外作家长篇小说系列

◎　中短篇小说集系列

◎　年选系列

◎　专题选系列

◎　微型小说系列

「小说界文库」编辑委员会

上海文艺出版社

目录

第一章　梨花一枝春带雨 ····················· 3

第二章　新剥珍珠豆蔻仁 ····················· 53

第三章　千朵万朵压枝低 ····················· 103

第四章　豆棚篱落野花妖 ····················· 155

第五章　插髻烨烨牵牛花 ····················· 215

梨花一枝春带雨

——摘自唐诗《长恨歌》（白居易）

关于她的出身，弄堂里人有许多传说。

她的母亲，一位滑稽戏演员——人们都这么以为，并不知道更早的说法是，文明戏演员——十三岁时，跟一个远房表哥在大世界文明戏班里唱帮腔，串串小孩子的角色。她长相是清丽的，疏眉淡眼，眼型很媚，细长的眼梢甩上去。倒也不是吊眼，而是人称的丹凤眼，笑起来先弯下去，再挑起来。嘴唇薄，上唇边略有些翘。当时正逢周璇红出来，就叫过她一阵"小周璇"。因她的长相有点像周璇，又会唱，但不是像周璇那样的娇嫩的"金嗓子"，而是沙喉咙，班子里人戏称她"水门汀喉咙"，与她细巧的长相并不符的，很是泼辣。难得的是，她会唱各地小调，会说各路方言。申曲，滩簧，滴笃戏，小热昏，评弹，淮扬大班，京剧里的老生；苏，锡，杭，甬，绍，豫，鲁，甚至于广东戏和广东话。沙沙的嗓音，高得上去，低得下来，初听吓一跳，再听听，却觉得收放有余，一点不吃力。而且口齿清楚，吐字伶俐，很得观众喜爱。十五岁时，听说有新办的戏剧学校招生，和班上几个小姊妹一起去考。那个年龄，总是到处留心机会，不甘心现状。如她这样，红都红过了，自觉得谙透粉墨生涯，就要闯一闯了。那时节，正流行女学生的风格，她剪了短发，发梢烫鬈了，向里弯。戴一副黑边眼镜，身上穿一件洋装连衣裙，苹果绿的绉纱，泡袖，镶蕾丝，横搭襻的方口黑牛皮鞋，就像女学生演剧里的葡萄仙子。不过，手腕上挂了一个白色的珠包，里边放手绢，粉盒，一支钢笔，一枚骨刻图章，还有一包香烟。这一点角儿的派头并未使她变得老成，反而有种天真的滑稽。她生来小样，与那些十二三岁的考生坐在一处，并不显得年长。考官中有一位，穿了米色西装，脚上皮鞋锃亮，却很"冬烘"地手捧一只水烟袋，像捧鸦片烟枪的手势，呼噜噜抽得水响，沿了坐成排的孩子踱过来。踱到她身边时，操一口苏白问道：小姑娘叫啥个么事？她即用苏白回敬：小狗小猫也有个名字，如何叫"啥个么事"？那考官定住眼睛，看她一时，踱了过去。因戏剧学校实际是京剧学校，招募的是京剧人才，所以她并没进得去，不过，那个问她"啥个么事"的考官,就此认得了她。在难料的世事中,他们将再次碰头,那一回,他于她可真是有着救命恩人的意思了。

她叫过一阵子"小周璇",又叫过一阵子"小白光",还叫过一阵子"小田丽丽"。她学谁像谁,但究竟是跟着人后头,要仗着"小",众人看着可爱。她形容幼稚,到十七八岁时还可权充小孩,但到底是有点勉强了。她也想改改路子,拜了新师傅,给自己定了个名字,叫笑明明。"笑"是"小"的谐音,又含有"滑稽"的意思,还冒了正传的名义,因是师傅名字里的一个字。她出了文明戏班子,去演独脚戏。那阵子正是独脚戏兴盛的时节,文明戏倒日渐式微了。她在独脚戏班里,还是串龙套,不过却没了"小"的优势,不如先前的风光。独脚戏是讲究个"噱",她正青春骄人,内心多少是不愿拿自己做笑料,就放不下架子,"噱"不出来。虽然有了名字,却挂不出牌去,她当然要感到落寞的。好在年轻,有姿色,再有一些儿过去的名气,在世人眼睛里还是有风头的,就可平衡得失。有个老看客,从她出道以来就钟情她,就像等着

她长大，再等着她失意，这时现身了。笑明明当然不会
与他当真，倒也不是看他不上，而是不能这么轻易定终
身。女演员的前途既是茫然的，又是可望的，总归是个
未知，晓得前边有什么等着？但是，夜里散戏后，有个人
叫了黄包车等在后台门口，请去吃消夜，礼拜天里有人
陪了去量裁做旗袍，替她付几笔账，一同去看电影，吃冰
淇淋，听她说说女主角的坏话，总归是有面子的事。所
以，两人也好了一阵。茫茫人海，难得有人瞄准她，对她
忠诚，很难不动情的。但至多相拥相抱，并未有出格的
事。其实女演员并不像世人以为的那样轻率，相反，可
说是守身如玉。她们身在男女混杂中，又从戏文习得风
月，可能是不多见怪，但却懂得身家性命全在自己一身，
不可有半点闪失，于是分外珍惜。这位吃祖产的看客
——凡是祖产到了上海地场，就像会缩水一样越缩越
小，后世子弟又没练得任何看家本领，手头就大多拮据
——这位吃祖产的，尽心尽力，换来小女明星一点真心。
两边都是平凡的人，必要遵守世故人情，并不抱有奢望，

也都觉得蛮好。所以这是一段颇为平静的罗曼史,包含着理解和体贴。这段罗曼史是以笑明明去香港为结束的。

香港永华电影公司到上海来招演员,她们一伙小姊妹也去应聘。那招生处设在跑马场路上一条弄堂里边,一间汽车间。一半在台阶底下,一半齐台阶,窗户上架了窨井盖样的铁栅栏。坐在里边,只看见窗前人腿交互,扰乱着光线,里面的人脸都是花的。三个香港先生,拥在满屋的俊男倩女中间,快要看不见的样子。人多,也不及说上话,只是交上相片,走过场似地在香港人跟前照个面,就走出来了。一走出来,站在下午四时许的秋日阳光下,砂面墙上映了疏淡的枝条的影,好比是回到人间。第二次去,人就少多了,到的人都是接到通知的,女多男少,在房内坐成一个圈。导演——香港人中的一个,让他们玩小朋友的游戏,抛手绢。一支歌唱完,手绢在谁手里,谁就立起来表演节目。开始彼此还拘束着,一旦玩起来,便放开了,有学猫叫的,有学狗爬的,亦有变戏法,玩杂耍的。笑明明认出其中有一个女生是某电影公司的女演员,演过一些配角。还有两名少年男女,是国立剧专的学生,其时抗战正剧,传说剧专也要关门停办了。正是在这样动荡的时局里,年轻人就更不知何去何从,无论是生计还是事业,都陷于渺茫。手绢传到笑明明手里时,笑明明立起来,表演了一出著名的滑稽堂会戏《搓麻将》,一个人包演绍兴、宁波、江北、苏州四个角色,活龙活现。那三个香港人中间其实有两个是江浙人,所以就听得懂,即便听不懂的那一个,但见娇小玲珑的一个人,能如此爽利有趣,也心服口服了。就这样,笑明明成了有幸考取永华电影公司的四女一男中的一名,不日启程赴香港。那时节,香港在上海人的眼睛里,几近蛮荒之地,落后得很。如笑明明这样,只跑过上海周边小码头的人,以为除上海外,都是乡下,就更把它想成不知道多么土俗的地方。所以,她准备有两大皮箱的衣服,因为要等几件旗袍完工,还推迟一班轮船,落了单。但她到底是早出道,在大世界这样的地方,什么三教九流都见过，就不怯场，一个人坦坦荡荡上了路。一个年轻漂亮的小姐出门，自然会有人来献殷勤，两个大皮箱，她几乎没有沾过手，就进了三等舱。有两个去香港转道夏威夷读书的男学生，一个跑单帮的商人，甚至还有一个葡萄牙的白人，轮流陪她吃饭，说话，看海景和船上的电影。一周的旅途非但不寂寞，还过得很得意。只是越近香港气候越潮热，浑身黏滞得很，好像在澡堂里，却没有出头之日。下了船，两个大皮箱自然又上了出租汽车的后车厢，她只将自己翩翩然地入坐车后排，招手与客中伴侣告别，由他们中间的一个推上车门，尽最后的义务，然后车驱入香港的街道。

即便在那个时候，还是战时，香港的夜晚就显露出旖旎的风情。街道是倚着山形逼仄地上下弯曲盘旋，房屋忽出忽没，灯光忽暗忽明，有一种诡谲的美丽。随了渐渐适应周遭的光线与环境，两边的街景变得清晰具体，竟是破败陈旧，多有上海四马路那样的骑楼，骑楼下黑森森的，散发出鱼和土货的腥气。出租汽车按了乘客给的地址停在一幢公寓楼前，笑明明下了车，搬下行李，这时候就真的只剩她自己了。她也不怕，一手提一个皮箱，走入公寓楼的门厅。谁要是见着这样时髦的小姐，登着高跟鞋，却轻巧地提了这么沉重的行李，一定会吓一跳。她走入门厅，被一个老伯拦住了。老伯上身穿一件浅灰制服式短袖衬衫，下边却是一条短裤，脚上趿着木拖板，呱呱地敲着瓷砖地面，走出来问是哪一户的客人。笑明明听得懂一点广东话，甚至还能应对几句，告诉他找几座几室，什么公司。接下来的话就听不懂了，待反复问过几遍，老伯又反复解释几遍，笑明明只觉着头脑糊涂。一周的海上航行没有晕船，此时却支持不住了。她放下箱子，一下子坐倒在箱子上，定住神。老伯先进去，复又出来，手里拿一盒龙虎万金油，让她搽一点。她用手挡开了，只是向老伯要杯水。水端来了，她仰脖将水喝干，然后问老伯附近有没有旅店。老伯指点给她一处，她立起身拎了皮箱就走，尖细的鞋后跟笃笃笃敲着地面，一转眼不见了。

坐在那间仅止四五平方的客房里,惟一一扇窗对着天井,对面大约是厨房,排风扇呼啦啦响着,将热和油烟一同排过来。笑明明坐在床上,想着下一步怎么办。她就是这么一个现实的人,并不怎么追究那永华电影公司是怎么回事,方才在上海好好地招生,回来怎么就倒了?追究又有何用? 那几个人是骗子也罢,不是也罢,此时此地又于事何补! 先前到的那几个人,也不知去了哪里,根本无从找起。她只是计算身上的盘缠。所谓"永华电影公司"只给了单程,且算得极苛刻,两张行李票还是她自己付的。她本是有一些积蓄,其中大半在上海置办了行头,所余已不多。计算下来的结果是,她必须在香港找事做,至少要积够一张回程的船票。当然,倘若有发展的机会,她亦不会错过。可是,在这举目无亲的香港,言语都不能完全通,她摸得到门吗? 她想了诸多问题,并不待想出答案,便倒下睡熟了。接下来的两天,她熟悉了周围的环境,知道拐角处一家粥铺可提供最经济的饮食,也了解到她所处的北角是在香港岛上哪一处位置,她还有兴致去了一趟浅水湾。那就好比是另一个香港,阳光灿烂,海天一色碧蓝,鲜花怒放,五彩的太阳伞绚丽地布在浅色的细沙滩上,外国人,尤其是白种小孩就像透明的橡皮洋娃娃。酒店的装潢非常豪华,广东人的富贵艳丽加上殖民国的古典风格,进出的男女毫不逊于上海的摩登。笑明明是从上海来的,晓得世界分三六九等,一来靠投胎,二来靠人力,所以不顶震惊,坐在沙滩上的玉石围栏上,看着明艳的南国风光,想的依然是下一步该怎么走。一直坐到日落,方才起身离座。余晖将海水染得金红,熔铁一般,外国小孩尖声叫着,赤裸着精白的身子,穿梭在夕照里面。对笑明明来说,全是画中的人和景,与她一无干系。她收起白绸伞,倒掉皮鞋里的细沙,向回走去搭车。到北角住处,天已黑尽,老板在迎门的柜台上喝米酒,下酒菜是一碗烧鸭饭,见她回来,就问要不要让人买便当来吃。她说要,老板便差伙计下楼,不一时,买来一碗牛肉面。她就脱鞋站在柜台前,与老板一里一外地共进晚餐,还喝了老板斟出来的一小杯米酒,主客间就好似有了交情。

这旅店其实就是两套相连的公寓房,老板就是"永华电影公司"所在那楼里,看门老伯的亲戚,所以介绍她到这里住。旅店住的客人大多是内地来的,有做生意,有转道去外码头,现时就还有逃难的。其时住了一家上海人,男人在香港一家小公司供职,女人带两个孩子过来投奔,不料男人在香港另有了家,只能将结发妻安置在旅店里,再两面交涉。那女人倒并不作怨妇状,而是打扮得体体面面,整日出去逛香港,反正花销都是男人的,若不是她用就是那个女人用。比较起来,那男人倒显得凄苦,矮瘦的个子,三十岁的年纪,头发已落得很薄,穿一件浅色西装,因为热,腋窝这里叫汗渍黄了。笑明明看了他,心想:要养小也须掂掂力道。不由说出一声:作孽!那男人正推客房的门,听见这一声上海话,回转身来看笑明明一眼。这才看出这男人长了一双花眼:单眼皮,下眼睑略微肉肿,不笑也笑。但这样的眼睛不经老,稍上些岁数,立刻变成眼袋。似乎他就是要抓紧这短暂的韶华，尽享人生。笑明明甚至在这里还遇到同道，一对从马尼拉来的华人男女，去上海学习西洋戏剧的。在笑明明颇有见识的眼里，这对年轻人不无私奔的嫌疑。因两人年龄相貌虽然般配，但出身显见悬殊。女孩子像是富人家的大小姐，一身学生装束之下，指上却有一枚样式简练大方的钻戒，可不是那类女学生们摆样子的花哨的假货。有一回，房门没关，看见男学生擎着一双女学生的白皮鞋擦油，笨手笨脚，却很虔诚的样子，那女学生只是倚在床上看一本书。男孩子是典型的南洋人，细弱的骨架，窄瘦的脸型，皮色很黑，五官则相当清秀。穿白色西装，头戴白漆铜盆式遮阳帽。这身绅士装越发显出他天真幼稚，是来不及要长大的孩子。还是贫寒人家倾力置办的行头，就好比一份家当，时时要在身上。这两位住了几天便离去了，想来买到了去上海的船票。算起来，就笑明明和那位上海太太是长住，已有两周时间过去了。笑明明将香港岛都跑遍，曾经去中环一家百货公司应聘售货小姐，对方张口就要初中文凭,她哪有?只得退出来。在那些偏僻的后街上,服装厂倒是张贴了招车衣女工的告示,可笑明明又不会车衣。她还渡海去过一趟九龙,九龙的景象似更凄凉,板壁房屋歪斜着,门前污水横流。一旦走入蛛网样纵横密集的巷陌,如她这样装束的年轻女子,便引来许多可疑的目光。有人向她搭话,问是不是找事做?她装听不懂,又装作找人的样子,终于走了出来。这晚,她又坐在旅店柜台前,与老板对饮,不过,下酒菜是她买的,花生米和叉烧。在这地方,老板是她惟一的熟人了。她已经请老板替她当掉两件旗袍,老板将两件旗袍对了当铺窗口一抖,简直满屋生辉。心中很为这小姐惋惜,想她一个漂亮又聪敏的人,不该落到此种境地。有心要帮她,也看出她急迫要找个事做,却不知像她这样的人,能找什么样的事。掂量来掂量去,只有建议她去舞厅做舞女。

老板这样的柴米生计,亦不会有此道上的关系,只是送个主意,再指点几处地点。不料,可谓"踏破铁鞋无

16

觅处,得来全不费功夫"。笑明明只走了头一家,便成了。她都没想到要搭点架子,再跑上另几家,比较一下。她当即应下,第二日便去应卯了。虽是战时百业萧条,舞厅里倒欣欣向荣,多少是大难临头前的醉生梦死。此时的香港,其实是又一处卡萨布兰卡,各路流民汇入此地,再流往各处。但凡能走动逃离的人或是有钱,或是有脚力,在这中转客居的地方最合适做什么?做舞客。过客中上海人占不小的比例,所以,像笑明明这样的上海小姐,就顶受欢迎。可是,谁也不会想到,笑明明会说唱演剧,出得来趟,却不大会跳舞。在上海时,与那痴心郎去过几回舞场,但都是他就她。灵巧轻盈的她,下到舞池里就木了,非是同她跳过不会知道。踩过几回舞客的脚,又撞过几回人,便是坐冷板凳多,下海少了。一半时间,是坐在边上,用手中可数的几张舞票当扑克牌摆着玩。这舞厅的规矩和上海一样,凭舞票关饷,像她这样,自然不会丰裕,只够在那客栈里继续住下去,回上海的船票是谈不上的。

17

她所在的舞厅,位于铜锣湾,属中上等,当然不能比上海百乐门、仙乐司的排场,但人气亦相当旺。底下几层是百货铺面,顶上几层是民居,窗户对了马路,市声涌进,舞曲的间歇便漏进咣咣的电车声。灯光稠密,不是说明亮如白昼,却是热闹喧腾的夜色。红绿黄紫的霓虹灯,颜色总是乡气,还是暗色,可团在一起,你灭我闪,是一派俗间的烁烂。那些舞客,亦都有一种乡气,尤其是本地的,多是黑、瘦、土。广东人的脸型,似乎多是谋生计、苦劳作的现实的人相,特别不适于声色的场所。内地来的客人呢,亦多是封闭长久,这时来开眼界的,带了内地人的畏缩或者鲁勇。有一些老舞客,派头要大一些,却又有自己的老相识,跳不了几曲便双双消失。所以,笑明明的受冷落,一是因为舞技生,还是因为她骄傲,也活该她兜不到生意。不过,这也是笑明明有脾性的地方,到什么境地都不落相,有自恃。转眼间数月过去,回上海几成泡影。上海也不会有人记挂她,像她们这样,从小进了班子,与家人便没了往来,好比是没有父母的人。身在香港,却人地两疏,做舞女都是用了别名,"笑明明"这名字太没有性别,没有艳色。于是,在闹哄哄的人世里,她这个人就好像丢失找不到一样,无声无息。然而,不曾想到,有一个人倒还记着她。当然,光是记着不行,还要有机缘,有机缘遇着她,将她从茫茫人海里捞出来。这个人就是多年前,戏剧学校招生,问笑明明叫"啥个么事"的人。

这人是个纨绔,家里开面粉厂,在产麦区徐州买了地,租给农户种,将收成运来上海加工,销往全国及东南亚地区。父祖辈因是做实业的,思想比较开明,对子弟们并不仅限于经商承继家业,而是鼓励他们受西方科学教育。这大约还是从动荡的时日里得来经验,万顷良田一夜之间都可易主,身有一技之长倒能确保衣食。所以下一辈里无论男女都读公学,男孩子或学机械,或学铁路,抑或学化工,大多出洋留学。女孩子择婿也是往洋务那一派上走。惟有这一人,很没出息。书也读了,却不用心,喜欢的是文艺。家里长辈最厌的就是这类无用

又会移性的东西,明令禁止他往片厂、大世界、戏院子里
去。可腿脚长在他身上,又已经不是小孩子了,管是管
不住的,于是又想开了,就当他是田里的稗子,反正也不
承望他什么,随他去了。他得了大自由,干脆表面文章
也不做了,自己停了学,专门搞文艺。他在这方面实也
没什么才艺,只是热心和喜爱。但这样也好,他对戏曲
艺术就没什么高下贵贱的偏见,一律都敬仰,只要是唱
做弹跳,与实际生计无关的,虚拟的,空想的,假作真、真
作假的东西,他全盘收下。他虽然哪样都不会,喉咙是
哑的,长相瘦、干、黄,摆样子都不成,但他有他的长处。
他懂得人情世故,这就有些"舞台小世界,世界大舞台"
的意思了。尤其是文明戏,不像京昆有程式,有传继,平
白一个幕表,全凭着演员自己生发情节。他就给演员说
戏,也不是针对性地说,而是天南海北,古今中外。说了
也不取报酬,班子都很穷,又从来没有"导演"这样的空
额,所以反是他请客茶水,甚至到馆子里开一桌。因他
说起来有瘾,就怕无人听。他这样的角色,有那么一点

北京的齐如山的意思,不过齐如山是前朝遗老,有文墨底子,通的是国剧,又有际遇,碰上梅兰芳这样上品的艺术者,于是才能做成大事,海内外留名。他在上海这洋场地方,风气是新,可也浅俗,离大器甚远呢!可是,他也是与齐如山老先生一样,讲的都是戏里边的人性、人生,大旨是不离的。渐渐地,他在上海演艺圈里也有了种帮闲的名气。他对文艺真是热爱,哪里有演出,他就奔哪里,甚至跑外码头。此时,是听消息说,红线女到香港演粤剧,他就到面粉公司领了个视察香港经销处的差事,支了钱,带几个朋友来看戏了。到香港才知是误传,可来也来了,不妨就玩几日。这一晚,在铜锣湾饮了茶,顺便走进一家舞厅,竟然,他乡遇故旧。

初进去时,笑明明正坐在暗处,用手里的舞牌在桌上玩着弄堂小鬼的玩意儿,刮片。她穿一件银白同色织锦回纹的无袖旗袍,电烫的头发剪得极短,贴在耳后,露出耳垂上的珍珠坠子,随了手动一闪一闪。新进的那客人觉得这情节很可玩味,坐冷板凳却还自得其乐,不由多看几眼。那女子觉出有人看她,也回过头来,两人都觉得面熟,却还没认出来,怔一怔。客人问:跳一支曲子吧!笑明明将舞牌一揽,立起身,迎上去。走了几步,客人用上海话,自语道:跳得勿哪能。笑明明即用上海话回说:又勿是跳舞出身!这般的接口令,又令客人一怔,似曾相识,而且,是上海人。他再仔细低头看一看,才看出端倪,说原来是你啊,如何跑到这里来了?笑明明还有几分疑惑,因为在上海见的人多,不知此人是在哪一出里的。于是客人提醒她,什么地点,什么时间,彼此又说了哪些话。笑明明就要叹气:如今真给老大哥你说中了,"啥个么事"都不是了。客人说:退一万步,总归还是个小狗小猫吧!就此,两人定下了终生的称呼:"老大哥"和"小狗小猫"。这称呼可说最好地表达了他们之间的关系,始于恩义,终于恩义,中间从未走过弯路。在笑明明一方,她是看不中老大哥的相貌,老大哥这一方呢?他家里再允他胡闹,也不会答应娶一个文明戏女演员,他自己也不作此想,因到底与笑明明不是一路人。恰因为没有婚嫁的嫌疑,两人倒结下长远的友情,伴随一生。

老大哥替笑明明买了回上海的船票,还将她典在当铺里的旗袍赎了回来。只是香港天热,当铺里织物衣被又多,难免生了蛀虫。就这样,这一周的周末邂逅老大哥,下一周头上就上了回程的轮船。一来一去间,已有大半年的时光倏忽而去,笑明明则觉着隔了一世。香港这地方,于她没有可留恋的,只是溽湿,暑热,失意。惟有旅店老板,这老伯的慈祥,想起来觉着温暖。他那自酿而不得法、微酸的米酒,他们一坐一立,一杯对一杯地喝下多少,不醉人,却会胀气,在愁肠百结的昼与夜里,带给了她人世间的体己之意。

几乎是前脚着陆,后脚太平洋战争就爆发,海陆封锁。心里着急老大哥滞在香港怎么办,其实他是搭乘飞机,还比她早一天到上海。但两人再次通上消息,却是要在几年过后了。笑明明到了上海,立即回归老行当。恰好有几班独脚戏和文明戏相拼搭班,去苏州演戏,她进去了。她虽离开不算久,但滑稽行里倒有了新变化,独脚戏和文明戏掺在一起,生发出多场次的滑稽大戏。这对笑明明有利,因她是文明戏出身,会演,而不顶擅长发噱。并且,从香港回来,经受一次历练,她开窍不少,也泼辣不少。先只是扮个无名的龙套,她却把这无名氏演得鲜龙活跳,于是戏分越加越多,这角色不仅有了名姓,还跻身前列,"笑明明"这三个字也挂出牌去了。此时,她的形容渐脱孩子相,脸型丰腴了一些,这改变了原先清丽妩媚的格调,显出一种妇人的气质。那时节时兴细弯的眉,她便也将眉修得更细更弯,就多少有点妖冶。身上也丰满了,过去做的旗袍有些紧,又手头拮据,不及做新的,裹在身上,线条毕露,但还没到局促,而是熟透的样子,就有另一派风范。剧团在苏州大戏院演了十天半月,无锡的戏院又来接洽,于是,统往无锡。无锡之后再到常州,在沪宁线一带往返。郁子涵就是在这个时期登场的。

郁家本是苏南地区的大家,只是已经星散。像郁子涵家,单门小户不说,还贫寒得很,但却不肯落架子,家中保留有许多世家的怪毛病。小自不穿短衫，不吃猪头猪下水、黄金瓜这类杂碎，大至子弟不务商贾，不学手艺。但其实，耕读为本的传统到了近代，说来容易做来难，"耕"无田地，"读"呢，多是要为所用的。所以，家里就多是闲人，吃一星点可怜的地租，读几年私塾，因没有钱花销，所以都还老实，成天关在门里，对外面的世界一点不知道。到了此时打仗，城外的几块地已经收不到租子了，只得将住家院子的前进出租，租给谁？就租给上海来演戏的滑稽剧团。郁家的门户要么不打开，一打开就是这么个闹哄哄的世界。戏班的生活总是喧腾异常，上午睡觉，睡到下午二三点，方才懒懒地起床开门，在院子里漱口洗面，晾晒衣服，不时唱念几句。四五点钟光景就都出得门去到戏院点卯，这一去要到夜间十一二点才能回转来。戏院里的戏散了，这里的戏却就开场了。男男女女坐一院子，吃茶，说话，声音并不很高，因要照顾邻里，但语调很快乐。演出的兴奋还未过去，又方才吃了消夜，这一餐消夜是一日以来为主的一餐，就必要消消食。他们可坐到凌晨二三时,才会觉着困乏,然后回屋里睡觉。苏州的月色好似特别的沁凉柔滑,人清爽极了,连睡意都是清明的。郁家人通常是早睡的,因无事,又加饥寒。不过镇日闲着,也是没多少觉的,所以,到了晚上,人睡在黑里,耳朵都竖起听前边的动静。艺人们在一起,说着说着就要唱上一段,其中有个沙哑的女声,唱得最活络,各路方言小调唱起来都很是那个意思,最出彩的是一出"搓麻将",其中有学苏州官话的,竟丝毫不差。到了次日午后,听见前进院子有声响,郁家人按捺不住,就要从门缝里朝外张一张,将人和昨晚的声腔对一对。

笑明明出来倒洗脸水,看见东屋的窗后,掀起一角素色布帘,一个少年人正朝外张望,那样子有些木呆。在他看见笑明明以前,笑明明早看见了他,觉着好玩,便一笑。他慌了,松手放下布帘,不见了。那样子倒像个深闺小姐,十分有趣,笑明明就有了印象。第二次看见他,他站在了院子里,与他小妹妹玩挑绷的游戏。就是用根线绳,两头系个结,两手撑开,和对方互相挑,挑出花样,却不能乱和散。这是小姑娘的玩意儿,可这少年,穿了洗白的毛蓝布长衫,藏在梨树的花影里,真像一个秀美的姑娘。回眸间,看见笑明明,无端地红了脸,笑明明不由心里又是一阵好笑。第三次,笑明明就与他说话了,问他要不要看戏,她可以带他进戏院。他两手在身后交叠,靠在门框上,羞红了脸。笑明明这回看清了他的长相,窄窄的长圆脸,因素净的生活而皮色清爽,几近透明。鼻梁却很高,双目细长,单眼皮,嘴型柔和,下巴中间有一个浅窝。真是清秀啊!他没曾想笑明明会与他说话,窘得不知怎么好,最后只得退进门里,进去了,又回身向外偷望一眼,笑明明亦正探了头看他,两人都笑了,这就有了些默契。以后,少年见了她,还是要躲。逢到笑明明有兴致,逗孩子似地紧赶两步,作势追他,这时的逃就有些像游戏了。但是,令笑明明万般想不到的是,当剧团离开苏州来到无锡,忽有一天,她正往戏院去,前边路上站了细条条一个人,却是少年他。笑明明吃惊不小。凡女演员,都有几个垂慕者,也不乏死追烂打的,但这一个到底不同,从来连自家院门都不大出,竟一跑跑到无锡。笑明明不由傻了,以往姊妹淘里,常常交流的应付周旋的伎俩,这会儿一件也用不上。两人呆立了一时,少年开口第一句话,竟像戏台上角色出场的自报家门:我叫郁子涵。

对于郁子涵的阅历,笑明明多少是有些小瞧了。他虽然不出门,不谙世事,可他却解风月,那都是从书上看来的。照理世家是不当看这些闲书,可年轻轻的闷在家里,大块大块的时间如何打发呢?于是,大的带小的,男的捎女的,或是看,或是讲,《玉梨魂》、《泪珠缘》、《啼笑因缘》、《春水微波》,等等,诸如此类。外面人是不知道,郁家夫妻间嬉笑怄气,都像从文艺小说上裁下来的情节。郁子涵是家中男孩里最小的,离婚娶尚有日子,读来的小说没有用武之地,就常在肚里演习。本来可一径演习下去,不料来了一个上海的剧团,将热火火的一团人气带到家门口,其中还有一个笑明明。

郁子涵真有些迷笑明明呢！他家的人性子都很温，又少见识，看小说看得都有些迷糊，说话行事就像在做梦。他从来没见过笑明明这样的人，如此活泼和生动。家母和姐嫂在屋里议论到她，说她俗，可他不就是喜欢这个"俗"！他，及他们家的生活实在是太清了，清到寡淡。上海的剧团走后，院子里晾晒的各色衣衫收走了，青砖地上再没了那错乱簇挤的影，无限的空旷。夜深时分的喊喊喳喳歇止了，不是静，反而闹将起来，是肚里的心事闹。郁子涵倒空了扑满里的钱，又借了小妹妹扑满里的钱。这些钱都是过年节大人给的，从来不用，他们是连如何用钱都想不到的。他没想到，两个扑满，叮叮哨哨的钱，买一张苏州到无锡的火车票，仅余下没几个了，钱竟是这样不经花。这可说是郁子涵对外面世界的第一个认识。所以，对于郁子涵到无锡找她这一笔，笑明明又是看高了。他不是勇敢，而是无知，或者说无知了才勇敢。在以后的日子里，笑明明会逐渐发现，怯懦的人还会非常的果敢。但不管怎么说，这个从未出过门的单弱少年,能够来到无锡,再问到上海的剧团演出的戏院,还找到戏院所在的马路,与笑明明碰个正着,亦可称为壮举了。过后的日子,郁子涵就是挤住在男演员的住处,晚上与大伙儿一起上戏院子,坐在台侧,锣鼓钹铙边上。他并不怎么爱看戏,他是看文艺小说出身的,属伤感主义那一流。滑稽戏里热辣辣、硬扎扎的市井人生显得粗鄙而缺乏想象,戏院子里又是嘈杂脏乱,也很粗鄙。但都不打紧,他只要有笑明明。有点像吃奶孩子恋母,带几分赖皮的不舍。他自己的母亲,生性冷淡无趣,并没使他体会到什么母爱。

郁子涵在笑明明生活的圈子里,可说是个异数。艺人们多是有市井气的,又是他们滑稽行当,演的是当下情形。不像京昆,是古人古事,多少游离开世俗一些。他们可是戏里戏外都浸泡其中。演艺生活且是粗粝的,有时甚至比乞丐不如,人都锻得很结实,哪里能像郁子涵这般娇嫩与柔弱。再是败落的世家,也有世家的风范,像他们这家与世隔绝,更是将这风范封存起来一般,没有受到时局变化的损耗。看郁子涵在剧团的同人中间，就像是天外来客，说不出的冰清玉洁。剧团的同人们，笑明明自然不会以为鄙俗粗俚，她从小在他们中间长大，他们都是她的叔伯婶娘，兄弟姐妹。她喜欢他们，同他们在一起，她很自如，嬉笑打骂，可是不逾规矩。也是有敬爱的，这敬爱在居家惯常里面。笑明明对郁子涵的心情，则是两个字：心疼。却也不是母爱的性质，甚至不是男女情事的性质，而是单纯的，一个人对另一个人。有点像越剧舞台上，坤旦对坤生的感情，是当她是男，可又知道她其实是女。这倒不是同性爱，说同性爱太概念了。粉墨生涯中的人，大约是太稔熟男女之爱，反看成没什么，他们所受吸引的总是较为特殊的情感。郁子涵坐在幕侧，眼面前交互往来的人和物，他均视而不见，只看笑明明。倘笑明明正是从这一侧下场，他便迎着她笑。看起来，他像是不惯于笑的，一笑便脸红，像是发窘，其实是处子之笑。

本以为他来几天就回苏州了，可他一字不提走的

31

事。奇怪的是,他家里人也不来找,或许是觉得少一个
吃口也不错。这样坐吃山空的家境,最终的结果大约就
是大家走人。就这样,无锡演完,他又跟去常州,再到太
仓,昆山,又回到苏州另一处戏院。郁子涵回了一趟家,
拿了几件换洗衣服,从院子里折了枝梨花,又来了。梨
花是送给笑明明的,插了一个玻璃瓶。同人们都说这孩
子痴,也都觉得他痴得很美。从苏州演罢,一部分人往
无锡去,组了一个剧团,其余人则回了上海。笑明明将
郁子涵安顿在师兄家里暂住,她自己与小姊妹合住的一
个亭子间是再住不下一个人的。到下午,他依然跟着去
戏院,依然坐在幕一侧,看笑明明演戏。他自己并不觉
着什么,笑明明却觉着此不是长法。从外地回来,就有
一些结束蜜月旅行,开始要过日子的意思。其时,她就
去找老大哥了。如今,笑明明有几分当他自家人,除去
他,还有谁在社会上有办法,又与她有交情的?笑明明
说,郁子涵年纪还轻,到底要有个立身之本,方可在世道
久存。老大哥想的是另一桩事,他想上海这花花世界不

比外埠民风淳朴,尤其是对小地方人,初开眼界,刺激就很大,闲来无事最危险。至于做什么事,两人意见一致,读书。问题是读什么?郁子涵读过几年私塾,与公学不大接得上轨,再说也需读点实际的,好找事做。老大哥出了个主意,去北碚读立信会计学校,他家某个亲戚是校董之一,他去说说,让郁子涵免试就读。立信会计学校有三年制的本科班,在社会上声誉很好,毕业生多能谋到正经的职业。再说,到北碚读书,也比在上海好。上海学校亦有不少浮浪子弟,到时候,书没读进去,倒学了洋场恶习。笑明明将这计划同郁子涵说,老大哥也在场。郁子涵的反应比较冷淡,似还有些不乐意。笑明明一味相劝,为他描摹未来:读完三年,领了证书,再回来上海,那时说不定战事已经平息,到外滩洋行找个差事,天天夹了公文皮包上班下班,再做一身西服,配一副金丝边眼镜。哄小孩子似的。老大哥一边看着,有几次和郁子涵目光相遇,不知多心还是真有,从他眼光中看出一丝怨毒,好像晓得是老大哥出的主意,也晓得老大哥的用心。老大哥不免对这位世家子弟生出些戒心。看在笑明明面上，老大哥说通人情，免去一半学费，又出资路费。笑明明还陪送到九江，两人方眼泪汪汪地分手。郁子涵新剃了头，推得略嫌短，看起来有些不像。脸架子似乎大出一条，眉眼间便紧窄了。笑明明只是觉着他可怜，疼还疼不够。因晓得邮路无有保证，所以将从香港回来后的积攒，统统交与他。郁子涵已经领教了钱的不经用，就并不嫌多，将一叠纸钞拦腰一折，顺手掖进长衫下的裤兜。两人就此一别，山高水远，不知哪一日重逢。

他们再次见面，就是抗战胜利后第二年，时光过去四年。其时，笑明明已和一名壳牌公司的职员谈婚论嫁。这名职员亦是老大哥牵的线，广东人，自幼失怙，依仗了家道殷实的姑夫姑母长大，受完中等教育便入洋行做练习生。因生性本分勤勉，一级级做上来，进了壳牌，做个小小的部门主管，到此已年届三十。演艺圈的女性，多半不会在本行当里找丈夫，因为深知其中的辛苦与不安。一般总想找个诚实的先生,谋一份中上职业,钱倒不在多少,她们自家都是有些积蓄的,也晓得钱会带来福,亦会带来祸。总之是,要有一个安定稳妥的家。这名职员正是这样的人选,并且,不是出身名门,还没有父母大人,不会对笑明明的职业存偏见,婚后她依然可以演戏。在这件事上,那先生果然没提出什么异议。到底是老大哥,精通世故,也了解"小狗小猫"。两人见了面,彼此都不讨厌。那先生是典型广东人长相,高颧凹腮,但在大公司里做事,训练得很有规矩。西装穿得笔挺,白衬衫领和袖雪白,没一点污迹。指甲,头发,修理得极整洁。一身上下服服帖帖,礼貌也周全。笑明明这样自小出来闯荡社会的人,又是戏台上出入,外表是不会给人挑出不是的。更何况,在她善于交际的言行底下,不自觉地会流露出热忱的本性,是让人信赖的。所以,再接着第二、第三次约会,不久,广东先生就带笑明明去了他姑母家。终是养育他的人,是当作父母对待的。然后,两人一同去看和租房子,买家具,拟登报启事,还邀了老大哥做证婚人。正忙得兴头上，郁子涵出现了。

郁子涵敲开笑明明同小姊妹合租的亭子间，小姊妹早一年就结婚搬出去，笑明明不日也要离开了。陡一见郁子涵，她都没认出来。郁子涵长高半头，穿一套破旧西装，很可疑的，身上散发出浓郁的柴油气味。这些都还不是改变他形象的要害，要害是他的脸型不一样了。原先柔和的弧度现在全被较为坚硬的直线所取代，变得有棱角了。眉棱，鼻梁，脸颊，腮骨，唇线，都含有一点锐度，几成一张长方脸。像是蚕从蚕蜕中脱生，这就是青年从稚气柔嫩的少年外壳中脱生的形态。还不单是这样，似乎脱去蜕壳后又遭遇了外界的某种磨砺和历练，形成了眼前的形状。

郁子涵在离开的四年中，究竟有怎样的经历，是笑明明不会想到的。其实他在北碚的会计学校读了一年多些，就离开了。读书的生活是清苦的，北碚地方又小，此时壅塞了穷学生和穷先生，摩肩接踵的，只觉着一股穷酸气弥漫。郁子涵受穷的日子，是在清门闭户里过的,所以穷得洁净。一旦走出家门,到了社会,闹是闹了,俗也俗了,却是丰饶的。艺人们都讲究吃穿,手面很阔。凭本事赚进来,凭性子花出去,豁朗的人生观。郁子涵学会了享受,几乎把受穷的日子忘记了。北碚的风格,倒也是豁朗的,却是豁朗的穷,就粗糙了。年轻人的欲望,活力充沛,那穷酸便也是浓郁蓬勃的。学生们可将被褥当了打一餐牙祭,然后钻进别人的被窝打通腿。赶墟的日子,他们挤在街上,一样买不下,眼睛倒可把人家篮里的活鸡吞下去。这些很令郁子涵生厌,觉得羞耻和龌龊。读会计学校的,多是寒门小户的子弟,更是拮据得可怜,郁子涵加倍看不入眼,在班上特立独行二三个月,方才结识一个同好。此人姓王,亦是从上海来,其实是个"瘪三",但郁子涵这么点见识,怎么识得出来?只是见他人样长得好,派头好,穿西装,戴金丝边眼镜,就像笑明明当时哄他时说的前景。此人说话还很有趣,又与他一样看不起北碚的人和事,有着共同的话题。两人一旦结交,立即割头不换,天天下馆子,郁子涵会钞,王同学专讲山海经。后来,郁子涵手头紧起来了,上海方面的周济是供一个人,又不是供两个人。王同学便找来铁皮,三敲两敲,敲出一个火油炉。这人的手很巧,又大约是做过工的,这技能在以后的日子里大有用处。敲出火油炉以后,王同学又显示出厨工的才艺。到了赶墟时,两人便一同去买来荤菜素菜,回来煎、炸、炖、煮,将饭馆搬到宿舍里。郁子涵已经吃开了胃,在这种地方,除了吃还有什么呢? 王同学至少还有些烹饪的乐趣,郁子涵又不会,最多剥点葱姜,然后就眼巴巴等着锅开鼎沸,两人一同大啖。这时节,他成了真正的饕餮之徒。别人家还有些书卷气,他可没有,一味的口舌之欲。仗了年少清俊的模样,还不至让人讨厌。

他对读书已无兴趣也无信心到极致,几次会考,他均不及格。王同学奉承他是文章古风之人,不适宜会计这种现代庶务,撺掇他去昆明读清华大学文科。他当然听得进。其实两人都是腻烦了北碚这地方,想去昆明大码头。于是,先退了这边的学,省下学费,一边向上海方面写信,告诉笑明明清华大学文科预备班录取了他,需转移昆明的盘缠和另一笔学费。等钱的时节,两人则走青木关去了次重庆,看看这山城,尝尝风味小吃。陪都的苟安繁华使郁子涵想起上海:大世界和笑明明,亦有一线伤感。但毕竟那与现实相隔太远,无济于事,于是精神还是回到眼前,看和吃。王同学教会他享乐,也教会他能将就,有一晚,他们竟然是在桥洞底下过的,幸而天不冷。因计算下来,钱不顶够了,两人将行李——所谓行李不过是两件衣服,牙刷毛巾,留在客店,抽身回北碚,结果又被什么玩的看的牵住,只得延宕一天。回到北碚,又过些时候,笑明明的钱才汇到。拿到钱,郁子涵先去旧衣摊置办了行头,一身三件头西装,将长衫换下。这一套行头,便是陡地出现在笑明明面前的那身。王同学很有计算地,将他们的火油炉,锅勺,还有书,作价卖给同学,得来的钱至少可以下两趟小馆。然后,两人往昆明去了。这一路其实蛮艰险的,好在他们目的心并不迫切,怀着漫游的心情,在山水间昼行夜伏,就像两位古代的名士。他们有时乘车,有时走路,有时行舟,还有时,搭了异族人的骡车,手里掂根枝条,学作驱使状,颠颠簸簸而去。亚热带的太阳,将他们晒得墨黑,但空气新鲜,无忧无愁,所以并不见憔悴,而是意气风发。等抵达昆明,已是半年之后,他们并不去寻找清华大学,而是租房子住下,安心过起日子。昆明果然另一番情景,不说别的,光是气候就要宜人得多,视野里则一片明媚,不像北碚那边阴湿。此时,已在频传胜利停战的消息,人们开始讨论回家的计划。遗憾的是,邮路混乱,几近阻塞,以至与上海断了信息,寄出要钱的信均石沉大海。其间,他们曾经考虑自生财路,屯积了些肥皂,再兜售出去,赚一小笔,维持一段。王同学又用铜片铁皮敲成异族女人佩戴的饰件,送到墟上去卖,卖了些小钱。到此关节,倒看出王同学是个重义气的人,没有抛下郁子涵这个吃口。是顾念花了他不少钱,也是出门在外,两个人总比一个人有商量,所以就甘愿养他。再有大半年过去,抗战真的结束了,欢腾喜悦之际,又是一场大混乱。

北归的人与车，日日从街上过，这城市不禁显出凋敝。这两位如何按捺得下，上海一径地在向他们招手，两人都得了怀乡病。这时，他们中间还多出一个人，一个女人，年纪大约二十八九，说南京话，穿着很摩登，看样子是跑单帮的，不知怎么落了孤身一人，滞在此地，租住他们隔壁，做了街坊邻居。本来并不多搭讪，但都知道外地来的，待到胜利思乡时，不由地话就多起来，讲的全是回家。三人终于商得一策。先由王同学用铁皮精制一枚徽章，图案是中、俄、英、美四个胜利国的国旗。然后南京女客穿成贵妇的样子，去到一家小五金店定购此类徽章，并缴纳定金二十元。第三，轮到郁子涵出场，带了王同学的作品去兜售。老板一看正是女客要的，即刻预付一千元钱定制两千枚。一千元到手，三人连夜离开昆明，在一无名小镇宿一夜，联络到一辆烧柴油的卡车，以工换车资，三人上了车斗。行走不过数里，南京女客就坐进驾驶室里，将先前搭乘的一个江阴单帮客换出来，一路与司机谈笑，提高他的士气。那江阴客上了车斗，心里不服气,想自己是付了车资的,就不肯劳动。因此,从头到底,都是王同学和郁子涵,负责一路的饮食,烧水做饭。此外,柴油烧尽,接不上火的时候,卡车就要启动另一套装置:烧木炭,这样他们就要提水和摇鼓风机。这一辆卡车,行路几千里,最终将郁子涵带到笑明明面前。

郁子涵看见笑明明,只是伤心落泪,忽感到几年来的落魄,当时不知觉,这时想来,竟是触目惊心。一边落泪,一边从口袋摸出一册笔记本,拿出几片夹在其中的红叶和黄叶,送给笑明明,把笑明明的泪也引出来了。自此,事态陡然改变方向,急转直下。笑明明与广东先生解除婚约,另租一间新式弄堂的二楼朝南客堂,和郁子涵结了婚。这一年,笑明明二十六岁,郁子涵二十一岁。虽然广东先生是理想丈夫,笑明明终是性情中人,勿管郁子涵这些年里如何变化,在笑明明心里,依然是梨花影中的少年。老大哥如何阻也阻不住,到头来还得帮着同广东先生解释,安抚,再要替郁子涵谋职。郁子涵倒还晓得从昆明地摊上买回一张假文凭,再靠了老大哥的人缘,竟在印书馆觅了个校对的职务,算是替笑明明安下家。笑明明请老大哥吃饭致谢,老大哥见她是一个人来,觉出她的体解,心里便又服了。两人之间,虽然非关乎男女情爱,但亦是有一段心意,旁人无法插足。老大哥说,我是看着你赴汤蹈火啊!小狗小猫说:可你是会捞我出来的。听起来,两人心里对这段姻缘都不怎么看好,却又不得不如此似的。过了若干年,广东先生在台上又看见笑明明一回,演的是一个老妈子,说着俏皮的苏北话。她已发福,穿一件大襟布衫,脸倒还干净,将头发梳到后头,挽一个髻,额上露出一个发尖。眉眼是端正的,却很淡,所有那些娇俏的线条都平伏下去。广东先生想不出这女人差一点就要做了他太太,这如何可能呢?

笑明明和郁子涵婚后第一年生了一子,隔年又生一女,然后歇了几年。郁子涵果真戴上金丝边眼镜,穿了西装,挟着公文皮包,头发梳得很光。印书馆的校对当然要算是坐写字间,但总还带有做工的意思,像他这样穿戴的并不时兴,可人们都知道他太太是个小有名气的演员,多少就另眼相看了。这时笑明明所在的滑稽戏班,与另几个班子合并,取名为上海方言话剧团,编进国营体制,取消包银,改领月薪。艺人们自觉成了国家干部,风行穿蓝灰卡其面料的列宁装,戴制服帽。笑明明也置了一套新行头。头发塞进帽圈里,耳垂上却镶着珍珠耳环。列宁服下面是啥咪呢西裤,裤腿瘦瘦的,盖着黑牛皮鞋。是一九四九年的摩登。他们搬了一次家,搬到隔壁弄堂,一条较为庞杂与拥簇的大弄堂,前排横弄临街,底下是店面,二楼与三层阁住家,他们就住其中的一幢。从后弄的门进来,走上一条直上直下的楼梯,到了二楼。板壁隔开房间,外间是楼梯,楼梯下一个小隔间,放马桶。楼梯口的空地则是煤球炉,碗橱,做了灶间。楼梯上去是三层阁,却是极为正气的一个大间,放进一堂红木家具,床上铺着流苏提花缎床罩。窗帘也是流苏提花,白天一左一右挽起来,还垂有一层白色透明乔其纱的薄窗帘。帘上映了行道树的梧桐叶,绿影婆娑。这就是他们夫妇的卧房。小孩子跟了保姆睡二楼,吵不到他们。他们就还像新婚一般,双栖双飞。笑明明要有戏演,到散场时候,郁子涵就到戏院后台门口接她。他不再是那个坐在台侧,锣鼓家什旁边的痴心少年,而是一家之主,太太的先生,可却是个多情的先生。在戏院门口接了笑明明,两人就招一辆三轮车去吃夜宵,入夜方才回家。上到二楼,笑明明怕吵醒孩子,便脱了高跟鞋,提在手上,由郁子涵挽了另一只手,蹑了手脚上三楼。就像瞒了父母耳目,偷跑出去跳舞回家的女学生。到了休息日,他们中、晚两顿都是在外吃的。中餐,西餐,素斋,点心,或是请人,或是人请,或就是单只两个人,面对面,坐在火车座上。他们很少有在家吃饭的时候,就像一般恩爱的夫妻一样,他们对孩子的心倒淡了,一儿一女怎么长成的? 他们稀里糊涂的。

　　早就说过,郁子涵已经吃开了胃口。笑明明当然晓得他是食不厌精,她呢,倒不是说如何的不肯将就,但演艺圈里的生活,总是带几分泼户的习气,今日有酒今日醉,挺率性的。所以并不拘束他,反是很鼓励。然而,笑明明万万没有想到,郁子涵竟会这么不知足。倘若不是遇到"三反",事情还将瞒下去,而漏洞也会更大,那就连杀头的罪都有了。郁子涵在印书馆里,有个女同事,是财务科的,要说也是个情种,喜欢上了郁子涵。郁子涵这个人,生性是有些轻薄,但对笑明明,以及这桩婚姻,还是满意的。笑明明是他争取来的,趁着少不更事才敢前后不顾,放在现在,他不定能做出。再则,笑明明对他有恩,他不会忘,忘了要伤阴骘,这点人道他懂。还有,他对女同事并无多大兴趣,那女人是比笑明明年轻,也是仗了比笑明明年轻才敢来追他。而郁子涵其实并不喜欢年轻的女人,因不能照顾他,反要他照顾。何况,又是在这样无趣的地方的同事,生来就不会有什么情爱的浪漫。在这印书馆的老房子里面,光线阴暗,高大的天花板底下,桌椅变得格外低矮,人伏在字纸堆里,快找不见了。郁子涵所以能在这里坚持上班,一是因为喜欢夹了公文皮包,煞有介事走进走出,自觉是个有公务的人,再也是有笑明明这个太太,晨昏相伴,调节了乏味的工作。所以,对那女同事的追求,他先是浑然不觉,再是吃惊不小,然后则躲避不及。这女人却横下一条心。她渐渐也看出郁子涵有口舌之欲,便请他吃饭。推了一次,二次,三次,第四次,郁子涵别别扭扭地只得去了。去了一次,就有两次,三次。那女同事请他去的都是别致的地方,就像事先研究过一样,哪里的刀鱼面,哪里的灌汤蟹粉包,最后就请到她家里,让她母亲做给他吃,说她母亲顶会做菜。这女同事也不知何等来历,母女俩住了半幢花园洋房,另半幢隔死了,从另扇门出入。那母亲,郁子涵倒有几分敬重,仪态很端庄,果真烧一手好菜。鱼翅、海参烧得好,普通一只粽子也包得与人不同。倘是明眼人就可看出,这母亲一定是某个富户的姬室,女儿自然是庶出。家主或是走或是亡,留下点产业给孤寡做生计。郁子涵当然不懂这些,只是被这里的吃喝吸引,还有清幽的环境也让他心旷神怡。说起来也令人不解,笑明明与他已经吃得很满了,他竟还能有空出的顿数来这边填补。比如中午饭,笑明明演出时,他一个人的晚饭,吃了这顿,再去赶和笑明明的夜宵;还有,笑明明跑外码头演出的时候。那么,不仅饭,连带宿,都是在这里的了。这样的事,都是众所周知,惟自己太太不知。郁子涵夜不归宿,连保姆的嘴都闭得铁紧,是不想生事,砸了自己的饭碗。这样的东家,天下难找,其实就是她当家,连孩子都可打骂的。女同事不仅给他吃,还送他零花钱用,他倒并不缺钱,拿了这钱是买了首饰送女同事。她等于自花自,但如此往返一趟,就多了一层柔情蜜意,很受用。女同事能有什么钱,她母亲也许有体己,但看起来守得很牢,郁子涵看见过女儿交钱给母亲嘱咐办菜,他从来没想过这钱是从哪里来。等到事发,女同事在公账上已有近一千万元的亏空了。

女同事判了十年,郁子涵既是同案犯,又有玩弄女性之罪,多两年,十二年。也亏得笑明明积极退赔,将一堂红木家具卖了十之七八。那红木家具进来时是从窗口吊上来,此时出去,也必从窗口吊下去。那时是一派喜气,如今则又凄凉又羞辱。笑明明面上不会露什么,照旧大着嗓门指挥搬运工,怎么掉头,怎么借力。事后一个人靠在床上,四下空荡荡的,原先放家具的地方,地板漆簇新,于是,满地留痕。她抽了一夜的烟;第二夜是清理照片,将同郁子涵的合影统统从中剪开,撕掉那半边;第三夜整理衣服,郁子涵穿得着的衣服,还有要用的东西,收成一个包,等待探监的一日。到探监时,两人隔了桌子坐着,边上还有外人,很难说什么。郁子涵直是哭,他是真悔,又觉真冤枉,还是真惭愧。笑明明将东西一件件拿出来,又等一时,看他哭得差不多了,才很简单地告诉他,她已经申请离婚,两个孩子归她。他颇感愕然地抬起头,眼泪倒干了。他不曾想到笑明明会这般绝情,还以为这个女人是会无限地宽容他下去。他那哭里,其实多少有着些乞怜的意思。事后再想,却是仅有此路,绝无他法,笑明明待他,都已经到哪一个地步了啊!

离婚以后,笑明明并没结婚,但很招人非议地,一年半之后,她又生下一个女儿,沿用哥哥姐姐的姓,姓"郁",再用她的姓"笑"的谐音,取一个常用的字"晓",加一个"秋",名晓秋。

第二章

新剥珍珠豆蔻仁

——摘自元散曲《卖花声·香茶》(乔吉)

　　比较两个大的,这个孩子跟母亲在一起的时间要多
一些。她是跟母亲睡的,睡在三层阁的大床上。此时,
又新添了几件家具,略填满了些,但都是较为轻浅的木
质,款式是那种简单化的新风格,漆色鲜明,显得家道单
薄了。窗口外面的梧桐叶却稠密不少,母亲又喜欢拉窗
帘,遮暗了光线,房间内就有一种幽秘的情调。早上,她
赖在被窝里,看母亲起床。先披一件绣花缎晨衣,头上
依然带着卷发纸,在梳妆桌前坐一会儿,抽一支烟。烟
雾在透进窗帘的晨曦里像是透明的,慢慢弥散开来。吸
完一支烟,母亲立起身,在脸盆架边洗漱,再坐回梳妆桌
前,拆下卷发纸。她的发型是电烫的短发,波浪主要在
额前,横过去,下端略薄,及耳垂,前边看,就像是盘了
头,侧看,微鬈的发梢则弯过耳下。耳垂上的珍珠换了
翡翠的。她在脸上敷一层薄粉,描了眉,上了点唇膏,对
镜子里看一看,然后立起更衣。她解去晨衣,脱下丝绸
睡衣,滑落在床上,亮闪闪一堆。胸罩与三角裤,略略勒
着身体。她是一个丰腴的女人,正处在转变的关头,身

体的每一寸地方似乎都同时显现衰老与年轻的两种迹象,交织混同在一起,散发着奇异的饱满生气。她很仔细地在上腹部扣上绑带,再穿丝袜。这时就更小心了,要防止勾丝,还要留神袜后跟的线不要歪。妥帖了,便拉开橱门,用手指轻轻划拉着里面悬挂的衣服,思忖穿哪一件。这时候的她,看上去很古怪,就像一只大蚕茧,裹在透明的缠绕的丝里面。她终于想好要穿哪一件,拿出来,穿上身,面对着敞开的黑洞洞的橱,若有所思地系着扣,从腋下开始,一直往下,又回到腋处,往上,最后系领圈的扣。现在,她甚至有几分窈窕了,登上高跟鞋,对了梳妆镜,略弯下腰,在领口别上一只椭圆形,琥珀色,木纹隐条的树脂领针。手上挽一件薄开司米外套,另一只手提了镶珠小包,走出了幽暗房间。

她还会在这房间里睡一时,嗅着隔宿气,烟味,还有脂粉的香。她并不觉着混浊,还觉着好嗅,有一种小孩子贪馋的膏腴的厚味。她要睡一个回笼觉,再次醒来,太阳已照亮整幅窗帘,将原先的紫红映成偏黄的绛红。

窗外嘈杂了许多,电车行行过往,商店的店员在人行道
上做广播操,附近小学校第一堂课下课,小学生在街心
花园里吵闹。保姆噔噔地上楼来,她已经安顿好两个大
孩子,又到菜场买了菜,将要洗的衣服也泡起来。她推
门进来,立刻皱起眉头,甚至用手闷起鼻子,快步走过
去,哗地拉开窗帘。阳光一下子从梧桐叶里零零碎碎地
进来,房间陡地敞开在光线里:枕上的污迹,有小孩子的
口水,大人的头油,揉皱的床单,团起来的被子,那一堆
绸缎睡衣,在更强的光线下,失了光泽。她几乎睁不开
眼睛,快速地眨着眼,看这女人摔摔打打地收拾房间。
将洗脸水端出去倒掉,大橱门关上,睡衣裤挂到门后衣
钩上,然后赶孩子起来穿衣,好让她铺床。她做着这一
些时统带着一股厌憎的表情,嘴角撇着。这个余姚女人
有着奇怪的道德观,她能够容忍这家的先生出轨,一直
对他抱有同情,对女人就不同了。她认为女人不规矩已
经犯了大忌,却还要光天化日之下,生下来历不明的孽
种。她对这孩子总是很粗暴,而且在她跟前毫不掩饰对

她母亲的鄙夷。幸好这孩子不跟她睡,免去与她肌肤接触。她所以留下来没走,多半是为了那两个大的,由她带大,又是在家道正旺的时候,小孩子享了福,自然有许多讨人喜欢的风度养成。她是中意的。这两个孩子生相都随他们的父亲,窄小的脸型,清秀的眉目,皮肤白皙,性格也都安静。家庭的变故,看不出对他们产生过强烈的影响,因原先也是与父母生分的。他们总是跟女佣人起居,生活可说没任何变化。对于这个后来的妹妹,既看不出他们有什么喜欢,也看不出有什么嫌恶,总之是一如既往地玩他们的游戏,过他们的日子。男孩喜欢模型玩具,家境好的时候,大人替他买下不少,主要是舰艇。女孩喜欢的另有一格,就是连环画,不识字的时候,已有一柜的连环画。两人的爱好都是安静不扰人的,这也是女佣人看中他们的原因之一。此时也还看不出,这种过于老成的处变不惊里,是不是掩藏着某种冷漠的脾性?这脾性有多少来自于独幅的父亲的遗传,又有多少是因为没有同父母亲热熟腻的儿时经历造成?

　　这个小孩的样子和她哥哥姐姐却很不像,应该说她某种程度上像她母亲,额角这里,脸颊的上部,还有眼睛的一半。她也是眼梢往上甩的,但却不是细长,而是杏形,重睑很宽,有一点像文艺复兴时期油画像上的圣母的眼睛,大,圆,鼓,但到了眼睛的末端,梢上,又有了曲线。她的脸颊亦是如她母亲那样饱满,但要长一分,就从圆脸变成鹅蛋脸。她的嘴型隐约也像母亲,唇线很分明,上唇边有些翘,却不是薄唇,而是有些厚。总归是,哪一部分都像,又都不完全像,不像的趋势是放大和加重。此外,还有一个大不同,就是她长了一头自然鬈的毛发。这种头发的发质往往干枯而且黄,梳不服它,八面参着。脸上五官线条又都那么鲜明,多是复线似的,皮色是一种沙黄,一眼看过去,就觉着满和花,不是那种清洁可人的小孩子脸相。这时,她被那余姚女人赶下床,自己站在墙角穿衣服,格子衬衫外头套上绿色的细绒线衫,登进蓝卡其背带裤。可怜她总是没法将两条背带正确地绕到前边来,不是交错位置,就是拧成麻花,或者不是从肩上过来,而是从腋下过来。一边忙着对付这些,一边还要与那女人对嘴。她虽然完全不了解在她出生前的人和事,可从保姆的嘟哝中听得出她的不满:不满房间里的气味,睡衣挂上衣钩却又滑落下来,烟蒂没有丢进烟缸,而是落在地上,脸盆边又积起了垢。小孩总是能够很准确地回击:房间里的气味是你自己吐出来的,睡衣裤滑落下来怪你没挂好,烟蒂落在地上就拾起来,脸盆边的垢——要你做什么的? 这些话虽然一半是从她母亲训斥保姆时听来的,可一个没上学的小孩子能有这样的应对能力,还是相当惊人的。那余姚女人有时会忘了她的年龄,和她认真争执起来,还真动了气,然后就会寻机报复。比如,给她梳头时,扯痛她的头皮。当然,要梳通她的头发本来就要下大力气。而她也很会忍痛,晓得到了人手里,就由不得自己。很多小孩子都是从乖戾的保姆手中磨砺出来的。

等一头鬈发终于编紧,缚牢,以至上挑的眼角又吊起一些,发根上起了小红疹子。洗了脸,毛巾险些儿将浮皮擦掉一层，然后吃过泡饭，手里再抓半根冷油条，她便下楼去到后弄里了。

这一条后弄的前排房屋，底层是店铺，从后门望进去，可望见前面的店堂。这就好像能窥伺到某种隐秘似的，后弄里的孩子均有着沾沾自喜的得意。为捍卫他们的特权，他们还一齐防止邻弄的孩子进这边来。这个小孩子又格外地有幸运，她不仅能从后门口望见柜台后面的情景，还能走进去站一站，走一走。其实，倘若每个小孩子都有她的大胆，未必就不能，可多数孩子，尤其在这样小的年龄，总是胆怯和腼腆的，大人一个阻止的眼色，就能缚住他们的手脚。她却不。大人看她，她也回看大人。大人的眼光凶起来，她偏一笑。她的笑，真是有些不凡，改变了整张脸上灰暗的情形，原本拥簇杂芜的线条一下子有了秩序，变成一朵花。大人的目光一软，她就进去了。这些店从前边看没什么，不外乎是皮鞋店，席草店，小百货店，布店，其中还间了单开门面的一爿旧书店。它们临着马路，统有一副古板正经的面孔，而且整齐划一。可到了背面,才晓得,它们人各有貌。在店堂的后端,往往会隔出小半间做货栈,同一种货色堆积一处,便散发出浓郁的气味,给店内的买卖标出了记认。皮鞋店是皮革味,席草是草腥味,布店是浆水气,小百货店应当是没什么特殊的气味,可是很奇怪的也有,就是店员们带来的午饭,菜肴的气味。这些饭菜装在铝制饭盒或者搪瓷茶缸里,放在隔间的壁架上。这些隔间不仅堆货,也是店员放东西,换衣服,坐着歇脚的休息室。将近中午时,那些饭盒与茶缸,就由一个或两个店员负责送往另一条弄堂内的小学校职工食堂,上笼蒸,然后再去取回来。也有些店员是在小学校食堂搭伙,到吃饭时便轮流去吃饭。似乎是,每个店都有自己的不同的午饭风格。像小百货店,是带饭蒸,布店的店员是搭伙,席草店呢,是到马路斜对面,与一家碗店的店员一起吃,而那一单间旧书店里,平常只一老伯,他却是生一只煤球炉自己开伙仓。所谓开伙仓,其实就是烧水,水烧开了,冲进冷饭里,滗掉,再冲一潽,就是泡饭了。老虎灶就在同一条马路上,也有客气的邻居愿意提供自家的煤炉给他用,可他 定要自己烧。这些店铺在前面是店,到了后面却像是一份份人家,每一份人家有每一份人家的规矩和做派,而且,千真万确,每一爿店铺走出的人,就和每一份人家一样,都有些相像呢! 席草店的人都说宁波话,女店员都蛮泼辣,脸色干净清白。皮鞋店的人多比较时髦,男店员梳分头,女的烫发。布店的人老成些。旧书店的老伯就是一家独户,默默地来去。

这小孩子就从这家串到那家。店员们早已从左邻右舍间知道这孩子家的事情,这也是容忍她串门的一个原因,人总是喜欢传奇。人们看着这孩子,想她奇妙的身世,生出无穷的猜测。只是他们实在经验有限,猜也猜不到哪里去。他们拿些不怎么相干的问题问她:妈妈演戏带不带你去? 妈妈上妆好不好看? 这件新衣服何时买的? 他们从不会提及那类敏感的事情,是做人的明理敦厚,也是知足,有这么个传奇里的小人儿在眼前,就已经是人生的幸遇了。再则,这小孩子又是有趣的,每问她话,回答总不会叫人失望,总会有意外之惊喜。他们都爱与她逗嘴,结果是,把她原本就能言善道的嘴练得更利了。她也有着她母亲那样沙沙的喉咙,却没有母亲那沙喉咙的厚和润,所以要学唱戏恐怕缺一功,人们议论道。可这并不妨碍她口齿伶俐,吐字清晰,人们都说她说话比吃饭还学会得早。她活泼的身形也叫人们喜爱,她跑前跑后的,小骨架子挺好看,四肢的运作挺协调。显然是从母亲剧团里学来的,她走那么几个台步,真有样子。甚至,陡地,她会就地翻一个跟斗:一个倒立,然后,小身子往后弯成一张柔软的弓,再又起来,立直,一点不变脸色。小心眼里,她很知道大家厚待她,所以,就要报答大家。她有什么可奉献的呢? 就是出奇不意的辞令和这些小把戏。有时候,百货店的店员会允她跟着去小学校食堂送饭盒。这小学校所在的弄堂,街面上与这里差几个号头,里面实际可以走通。她跟着用托盘端了饭盒的店员,迈着小腿脚,走过一截鹅卵石路面,再走上一片空地,又转入一条只供一人通过的狭弄。这条狭弄有些叫人害怕,听得见他们一大一小脚步的回音。两边是房屋的山墙,在她的身高看起来,就是无限的高,顶上只有一线天。终于走过去了,就可听见操场上的呼喊声。猛一听,就好像有千军万马,方才压抑下去的心,此刻又振奋起来。这可是一趟远行啊!简直起伏跌宕。小学校的厨房里白雾缭绕,瓷砖砌面的灶头比她人还高,因为水汽重,人说话听起来都嗡嗡的。有人问那店员,是不是他家的小孩子,店员回答说不是,人就说,怎么有些像?于是大家笑。有只手从笼里拈了一只馒头给她,怕她烫,用一根竹筷串着。她实在心生感激,长了这么多见识,还得了馈赠,满载而归。无论是多么快乐的当口,只要她的哥哥或者姐姐走进弄堂,她立刻就泄气了。她的哥哥和姐姐,两人都已经戴上近视眼镜,都是好学生的模样,这点和他们的父亲却不同。他们脸上竟有着些书卷气,一种冷峻的神情。他们目不旁视地走过后弄,走进门,上了楼梯。只这么一走过,小孩子便老实了,还是沮丧,她显然怕她的哥哥姐姐。有时她过于放肆了，人们会喊：哥哥来了！姐姐来了！虽是虚枉，可也会扫她的兴。尤其是余姚女人，她说的是：告你阿哥打你！她即会扁了嘴，马上要哭出来的样子，背手靠在墙上，心灰意懒。

她当然是吃过哥哥打的。其实那也只不过是一巴掌，或者一拳头。别人家里，大孩子打小孩子要暴虐得多。可她哥哥的这一记，却格外令人胆寒。他不动声色地，几乎眼睛都不抬，不看地方，出手就是一下。有时在脸上，有时在头上，有时是当胸。这一记也不算特别重，可却挺狠。为了这打，她怕她哥哥，她也知道，姐姐是与哥哥一起的，所以连带着也怕了姐姐。并且，她还知道，这不像和保姆的争执，在母亲那里是必定得不到支持的。曾有一回，余姚女人以那样的诡黠的口气向东家说：今天不乖，她哥哥都打她了。于是，挨打就变成她的错，而不是哥哥的。母亲的回答是，再给一记。母亲的打，她是不怎么怕的，虽然，如她母亲这样的经历和性格，多少是粗暴的，出手不会轻。逢到脾气上来，也很冲动。说来也奇怪,她从来不曾碰过两个大的一指头。她对两个大的,不怎么亲热,可是等他们长起来以后,她却怀了一种敬畏。他们的冷若冰霜,使她将他们看得很高,比她自己高。和所有的艺人一样,她是自谦还有自卑的。而对这个小的,她却打骂甚多。好像也不是与她特别亲昵的原因,她甚至比对两个大的更不喜欢她。她不喜欢她的伶牙俐齿,不喜欢她的活泼,不喜欢她匀称柔软的骨骼,不喜欢她笑起来有一种媚。她忍不住就要骂她和打她,在某种程度上,她其实是母亲的出气筒。每一回,几乎事出无端地,被母亲打过,嚯嚯地哭一场。母亲也不管她,兀自坐或躺着吸烟,烟雾弥散在房间内。她吸着鼻子,觉着好嗅,安静下来。等母亲在床上躺下,背对着她,她只能触到一点点母亲的衣角。那丝绸的凉和滑,也让她觉着好过。于是,她安静下来,渐渐地,还感到幸福。关灭了灯,街灯便将梧桐叶的影投在窗帘上,很错乱的交互,使她感到刺激的快乐。一大一小,沉入了梦乡。

有时候,母亲带她去剧场。她们提早吃了晚饭,下午三四时便离家了。后弄里满是阳光,她被打扮整理了一番,由母亲挽了手,表情持重地走过弄堂,有一些眼睛注视着她们。她们走出弄口,去搭公共汽车。方向上是走回去了,正好从她们家楼下的商店前走过。店员们从柜台后面看这母女俩,西斜的阳光里,鲜亮的衣着,显得很绚丽。那小小的姑娘跟着母亲,显得很有倚仗的安静和郑重,她目不斜视,好像从来没有认识过这些店铺和里面的店员。这是小学生放下午学的时光,马路上有放学的孩子,三五成群地走,回家去,而她们,却是出门。搭上车,车从梧桐树间驶去,她又一次看见了自家的临街的窗户,还有那一行店铺,甚至看得见其中一个店员正往外张望,她几乎要喊出他的名字来。可是,一种骄矜的心情止住了她。汽车渐渐驶离她熟悉的情景,而到了陌生的街区。有几次她回头看母亲,只看到母亲的侧影。她侧过头,望着走道那边的窗口,好像也和她一样,被窗外的风景吸引,可又像是全然不注意。这一趟车程,在她对时间的认识来看,是相当长了。等下到一个站头,停在路边,形势似比出发时激烈,车和人更为拥挤和匆促,阳光也更下去一些,光线就略微暗淡。这里的马路较为狭窄,被两边的房屋挟持得过紧,头顶上盘亘交错着电线,鸽群飞翔,拥簇和繁闹。她们走了一段,转到一条更窄的小街,推开一扇小门,进了剧院的后台。

　　一股阴森的凉气扑面而来,眼前陡地一暗,却响起几个声音,是招呼她们的。她听见母亲在回答,母亲的声音忽变得轻快,而且,善言。她回应着人们的招呼,又招呼着人们。此时,她们已经走进明亮的化妆间里,是由日光灯照明着。一大间,被化妆桌分割成一条条走道。人多没到,却也占了有二三成。还都没上妆,只是闲坐或是走动着。有人在化妆桌面上摆开一餐小宴,油纸,饭盒盖,盛着熏鱼,红肠,素鸡,饭盒里是黄酒,酒精灯上温了,冒着热气。那人递过一厚片红肠给她,她一边吃,一边在化妆桌间穿行,看镜台上的粉盒,凡士林瓶,头绳,假发套。母亲由她去,并不斥责她。来到这里,母亲的心情变好了,甚至是快乐的。她坐在镜台前一把圈椅上,架起腿,抽一支烟,偶尔从旁边桌面上拈一片熟食,放进嘴里,品尝味道如何,称许和批评,或者推荐某条路上某个熟食店的更为上乘。她偏过头,让过旁边那一桌晚餐,将烟吐到另一边的半空中,那动作有些俏皮,是在家时从未有过的姿态。有人过来打趣,让那开宴的主老酒少喝点,当心舌头打绊。母亲说:蛮好,加一段绕口令。人又说:不是绕口令,是"轮嘴"。"轮嘴"即口吃,当是从弦拨乐器指法,"轮指"而过来,更形象。母亲就说:岂不加倍发噱?母亲变得很有趣,而且,她挺受大家欢迎。吸完一支烟,旁边的熟食摊也收拢起来,人又多来几个。母亲特特立起身,走到一个人跟前,将一整条香烟拍在桌上,说:何师,孝敬你的!何师当仁不让,立刻破出一包嗅一嗅,又放下,先操起一把胡琴,给琴弦上松香。母亲回到桌前,开始上粉底。她从镜子里看见母亲的脸,母亲的脸很有神采,眼睛灼灼发光,脸颊鲜艳。但很快掩在了肉红的粉底后面,变得像面具。有人教她一段唱，她竟学得很像，人们就说，让她也学这一行，保证红出来！母亲说，一个沙喉咙，出不了头的。人又说，你不也是沙喉咙？不是出头了？母亲说，我沙，我有水音，她没有。很得意的样子，转而又添一句：我也并没有出头。话音里有一点暗淡，但还是昂然的。无论她喉咙沙不沙，一个小孩子，不怕生，教得会，总是招人喜爱的。所以，有一出戏里，需要一个小孩子，她自然就上去了。

她不晓得这戏是什么名字，演的什么情节，她只是罩一件白色的围兜，围兜口袋里塞满炒米花，站在台口，然后，母亲在她身背后一拍，她一边往嘴里填炒米花，一边放声大哭，走出去，走过台前，一直从那头下去，就完了。虽然简单，可当了台下黑压压一片人，莫说孩子，没经过的大人也会腿软。无论演不演戏，她都喜欢剧场。喜欢这里的人多，热闹，母亲的好脾气，她几乎称得上是个温和的母亲了。散戏后，母亲卸了妆，母女俩回家去。母亲虽然不像先前的活泼，而是沉默下来，但能觉出，是平静的。这平静,使她保持了一些方才的和悦。母亲会带她到一条弄堂里,一家小店,去吃柴爿馄饨。店堂很小,其实就是将已经很窄的弄堂隔出一条,只摆得下前后三张小桌,柴爿炉就在门背后,炉膛里的火映红了墙壁。母亲在红光里吸一支烟,烟雾也是红色,洇染开的淡红。吸完烟,馄饨不那么烫了,她那碗吃了有一半,然后,母亲很快吃完,等不及她还在贪馋地喝碗底的鲜汤,用肉骨炖成,放了蛋皮和葱花。母亲将她喊起就走。为了能够喝完碗里的汤,她学会了迅速地吃烫嘴的食物。她往往在车程的后半段已经入睡,在睡眠的状态下被母亲推下车,拉着走过距离家的一段路途,上楼,进房,最后看了一眼电灯光下黄灿灿的房间,又回进睡眠。

她的演剧生涯一直延续到她小学四年级。当她上小学以后,逢到演出的日子,母亲事先给她两角钱,单趟车费兼一顿早晚饭。此时,母亲响应政策动员,主动削减工资。他们这些艺人,是真心感激人民政府,将他们从三教九流的地位提升为主人。他们都是重义的人,所谓"滴水之恩,当涌泉相报",政府只要开口,他们从来不会打回票。这样,家中的开支便不得不大大压缩。母亲不是一个会计划的人,可她能伸能缩。当即辞退了余姚女人,两个大孩子中,一个大的,考了寄宿中学,女孩子总归好照应些。那最小的长高了,嫌挤她了,就让从三楼搬下来,睡到二楼,和姐姐同睡一张床,原先是余姚女人同姐姐睡的。哥哥的床依然留着,等他星期六回来睡。姐姐对妹妹,一点没有显得比对余姚女人更欢迎一点,总是将后背对着妹妹。那小的为挣得大的欢心,极尽小心,承揽下铺床扫地的杂务。过了一年,到小学二年级时,烧饭也是她的活了。甚至,姐姐的衣服亦是由她洗。她并无怨言,内心里,也很奇怪的,与她母亲一样,将两个大的看得很高。好像,能沾手姐姐的内务,还是一件挺荣幸的事。但是,她还是很高兴演戏的日子,她可以在放学以后,直接从学校往剧院去。她的运气似乎从来不佳,她没能上到曾经随楼下店员去送蒸饭的那家小学,有着大食堂和大操场,而是上了一家民办小学。

校舍分散在民居中间,体育课就是在弄堂里上。她走出教室——其实就是石库门房子中的一个客堂间,穿过弄堂。这些错综复杂的弄堂,她已经谙熟于心。从哪里可通达哪里,免去绕道之遥,她心里一本账。沿途的风景,她心里也一本账。但并不妨碍她有兴致,她百看而不厌。她穿过弄堂,再多花些脚力,便可省下七分票钱中的三分,使手头更宽裕。她认识一家合作食堂,在那里可吃到二两炒面和一碗牛肉清汤。她嘴很甜地叫着阿姨,伯伯,人家又渐渐认识了她,就会多给她一些炒面的焦黄的部分,牛肉清汤里也会漏进几片薄牛肉。但她并不总是这样正经坐下来吃饭,这似乎太浪费了,无论是对于财力,还是自由。所以,她更多的是化整为零,沿途一路采买享用过去。食物的种类不限于果腹,而是相当丰富,比如棒冰。这小孩子寒冬腊月也照样吃棒冰不误。有一次嘴唇冻在冰上,撕破一小片皮,流了好多血,化妆时自然有了麻烦,挨母亲一个嘴巴,被同事们劝下了。这给了她教训,从此将更小心地对待棒冰。她沿途

吃着棒冰,桃脯,粽子糖,含松仁的要两分钱一颗,较为
昂贵,她不常吃,还有老虎脚爪,开口笑,瓜子,甚至于,
一小包虾皮。她还发明出一些前所未有的吃法,一边嚼
一颗奶油软糖,一边往嘴里扔花生米,制造出奶油花生
糖的效果,或者将棒冰夹在一个圆面包里,吃出冰淇淋
的意思。总之,这笔晚饭钱被她吃出五花八门。她有一
次为省下所有的车钱,竟一直走到剧院。自然迟了些时
候,其实不顶迟,因她是第三幕登台。她看见有几个老
戏油子也是这样,前边已开幕,他们这边厢才慢条斯理
地上粉底,戴头套。她进去后台便挨了母亲的嘴巴,这
回人们没去劝,而是说这小姑娘该受点管教。她也亲眼
见过一个年轻演员,新招进来的,读过两年初中,难免有
傲气,以为与老演员不同,姗姗迟来。结果被领导和师
傅骂得哭,肿着眼睛化妆更衣,上台还不许带情绪。所
以,以后她再不敢了。她一路吃到剧场,径直走进后门。
她特别得意这一个时刻,觉着人家都在看她,这么小小
的一个人就有如此特权。虽然她自小就出入剧场,可她

始终对剧场怀有着神圣的感情。她觉着,在此,世界被划分为两半,一半在台下,一半在台上,台上这一半无疑是更为精彩,更为激动人心。

她有时候在舞台上跑个过场;有时候则要待上整整一幕,虽然只做一件事,跳橡皮筋;有时候,也需要说两句台词:叔叔,你的皮夹子掉了! 或者,阿婆,过马路当心! 但这么点戏和台词也是不可少的呀! 有时候要加日场戏,或者去郊县演出,下午两点就要集合了走,便需要向学校请假,缺两堂课。学校里自然很支持。这个民办小学,样样矮人一等似的,又傍着那所重点小学,就更见其卑下了。因此,他们很重视这名学生的艺术活动。在她不得已缺课以后,还专派老师为她补课。民办小学的老师,成员比较复杂,多是从社会招募来,有家庭主妇,有社会青年,有从别种行业病退的职员,文化程度或是不高,或是高过师范专科,不屑于和不懂得如何教小孩子。一般重视教育的家庭,总是千方百计使孩子避免入读民办小学,甚至不惜推迟一年就学。民办小学里的学生就多是来自普通市民家庭,对孩子的学业听之任之。师生如此,学校里的教学空气自然不会严谨,正规学校老师去听课是要笑的。可他们自己倒并不觉着有什么不好,反是很自由,不像那些好学校的孩子有压力,过得沉重。为她补课的老师,兴趣似乎更在听她讲剧场和演戏的情形,她又很会描述,平时就常与同学讲,老师要听,讲得更卖力,将那生活形容得很有声色。老师听得兴起,不由跃跃欲试地,也想要办一个剧团。但演戏到底是难的,便只限于歌舞。她自然是主角,还兼导演。她从剧团练功房里学来那几招也很能唬人的,加上腰腿功夫好,老师又将她推荐到少年业余体校的体操班,也录取了。她的课余生活便十分丰富,而且,是个挺重要的人物。这从很大程度上,平衡了她在家中受压榨的境遇,使她不至于变得畏缩而缺乏个性。那些粗粝的对待,倒是锻炼了她结实的身心,日后可抗衡人生中不期然的遭际。

　　这时节,她已经比母亲还略高一点,脸型和五官的轮廓更为鲜明,气色润泽。她小孩子的纤细四肢和身躯,有了些肉,更显得柔软和挺拔。她的头发似也柔顺些,编起很紧的两根短辫子,辫子与发顶,毛出来的一层短鬈须,迎了光,就像罩了金色的光环。也不知是映衬的,还是本就如此,她的眉,睫,瞳仁,还有脸颊额头上的茸毛,全呈现一种暗金色,偏褐。她穿的都是姐姐穿小的旧衣服,可也不坏,那是家道富裕时,小女孩的穿戴。暗绿直贡呢短上衣,圆领上滚了边,胸前打裥褶,只领口缀两颗扣子。卡其裤,贴袋,袋口镶红白条纹细边,裤脚管明幅的贴边也镶同样花色的细边。还有荷叶领的篷篷袖白衬衫,格子线呢背带短裙。方口横搭祥皮鞋。她穿这些衣服,效果和姐姐全不一样。白皙清秀的姐姐,自小有一种清高的风度,头发剪成齐耳,蓬松黑亮,前额光光的,一边卡一个黑铁丝发卡,脸色清爽极了。如何摩登的衣服穿在身上,都变得文雅大方。她低眉垂目,静静地随了哥哥。哥哥西装吊带短裤,束住雪白的衬衫,长统白袜齐膝,棕色牛皮鞋,头发三七分,梳得服帖

整齐,露出同他们父亲很相似的额头,手里还拿了一顶
花呢鸭舌帽。兄妹二人乘坐一辆三轮车,去看电影。说
实在,他们不像是临街弄堂房子里走出的,而像是某家
资产者的小姐和少爷。这也确实是他们母亲按照中产
阶级的模式装扮她的小孩,是她以为的最上乘。可多少
地,流露出一点夸张的戏剧化,是本阶层的趣味格调在
作祟。他们有时也会去看母亲演戏,从头至尾蹙着眉,
不发一点笑,似乎有一种厌嫌。他们显然不喜欢剧场后
台里的气氛,拘束地坐在一隅,有人走过,看他们一眼,
说,两个华侨,或是,两个日本人! 倘有人伸手去摸他们
的头,他们就会偏过去让开。他们讨厌这些艺人们的粗
鄙。而且,也讨厌他们的母亲在中间灵活周旋的样子。
实际上,他们多少是有些嫌弃他们的母亲。略长大后,
他们就不再去母亲演出的剧场,他们的气质与这场合十
分不协调。

　　姐姐的衣服,穿在她身上,却总会显得花哨,这孩子
多少有点俗气呢! 她走路有一种挺胸收腹的姿态,后臀

微微翘起,脚尖着力,步态轻盈。因她要比姐姐身体浑圆结实,所以每一时期的衣服于她都略有些小。短裙是在膝上两三寸,裙裾撑成一把伞,衣服则吊在腰间。袖口与裤管,前者在手腕上,后者在脚踝上。好在此时尚未发育,依然是小孩子形容,否则就会有熟腻之嫌了。现在,她只是显得格外鲜艳饱满,且又是那样的热情活泼,人人见了都会多看她两眼。并不是觉着她有多少漂亮,而是很特别,很有趣。她在少年业余体校的体操班里,身量其实有些大和重,可她柔软度特别好,弹跳力也好,而且,具有少见的爆发力,教练就舍不得淘汰她。她换上黑色、紧身的体操服,竟已经有了曲线。立在队伍里,其他孩子还都像雏鸡似的,而她羽翼渐丰。是她母亲最先看出她的成长。此时,她在一出多幕大戏里扮一个少先队员,有名有姓的角色,还写上了说明书。出场的次数多了些,但任务亦很简单,不过是摇了根绳子跳绳,或是站定跳,或是边跳边上场,再边跳边下场。跳绳中间,有二三句台词。一日,她如往常样跳着绳出台口,立在台口的母亲,迎见她就是照脸一记,骂了声:骚货!她是被母亲打惯的,可这一记却叫她懵了头脑。她虽然不很懂得母亲骂她的意思,只是本能地感到屈辱,眼泪就下来了。母亲又是照脸一下:敢哭出来! 她来不及揩干眼泪,返身又笑着上了场。脸上的泪痕巴着皮肤,有一颗泪珠流进嘴里,咸滋滋的。方才的委屈已经全消,她甚至同情底下,坐在暗处,面目模糊的观众。她很快就又下了场,可她知道,世间就有着另一种人生,是与现实完全不同的。

这是她在母亲剧团里扮演的最后一个角色,她虽然仅十岁多一点,可却渐脱儿童形骸,不适合再演孩子了。现在,人们都已看出来了,隐在她身体内的,一种属于性别的特质,在渐渐凸现起来。这种特质在某种程度上,又被她母亲注明和强调出来。有时母亲走进弄堂,她正与同学或者邻家小孩玩耍,跳皮筋,将腿向后伸得极高,去够同伴们举在头顶的皮筋。由于腿抬得高,腰便陷进去,胸脯则挺起来。她母亲又是照脸一记,虽然没有骂

出声,可她已经晓得骂的是什么。于是赶紧收起皮筋回
家。她母亲似乎分外嫌恶她的成长,而她偏偏比一般孩
子都较为显著地成长着。这种性别特质的早熟和突出,
倘若在别的孩子身上,或许不会引起注意,可在她,却让
人们要联想她的身世,一个女演员的没有父亲的孩子。
这两者其实没有关系,可是在市民贫乏又庸常的生活
里,还有什么比男女风化事更可以刺激想象力呢? 再
有,也莫小看他们的世故经验,说不定,这两者真有什么
关联呢? 从民间遗传学上说,风流的生性也属种气,会
代代相传。而这孩子身上显现出来的性别特质,人们是
用"风流"这两个字来命名的。

　　这孩子的身世之谜,在这一阶段,又被人提出来了。
在此之前,人们似乎忽略有些日子了。在五十年代初
期,生孩子不是什么大事情,经常的,忽然间,谁家的厢
房里,传出新生儿的啼哭声。又忽然间,弄堂里多出一
个摇摇晃晃的胖家伙。这时,人们又想起这小孩子出生
时的情景:七八月间,发大水,女佣人卷着裤腿,蹚水蹚

到隔壁弄堂内，一家私人诊所叫来医生接生。对此时间，人们亦有几个历史坐标来判定。女演员的先生，是一九五一年"三反"时进去的，而这孩子出生后第二年，即一九五四年，那家私人诊所就交给国家，关门大吉。所以，她肯定是在母亲离婚之后两年中出生的，她的父亲究竟是谁呢？看她的长相，不属于母亲的那一半似乎又格外鲜明，就好像附着个隐身人！人们的猜疑，通过他们的目光，甚至直接从他们言语里，传达给孩子。那时候，大人们对孩子根本不持有平等的观念，这孩子又是被自己母亲当众扇嘴巴的，就更失了保护，人们并不忌讳什么。她从来不曾想过父亲的问题，因为哥哥姐姐也没有父亲，所以就觉着父亲没那么必要。从小没有父亲地长大，也不觉缺少什么，有了父亲，说不定打她的人又多了一个。在她眼里，所有的家人，都是为教训她而存在的了。现在有人提出了，不免要想一想，却也没有苦恼多久。小市民堆里长成的孩子，对于众人的闲话都是有一些抵抗力的，因为前后左右都是喋喋不休，带贬损性的闲话。讲归讲,翻过身来又是照样的热络。她只不过从此气不过同伴间的那一句相骂:没有爷娘教训!这惯常的,普遍视为有攻击力的骂言,这时听来就有了特别的针对性。逢到此刻,她立即收兵,别转身回了家。可小孩子的反目能坚持多久呢? 过一刻,气散了,听那骂家又在楼梯下殷殷地叫她名字,赶紧跑下去了。

不过,有时候,当然地,她也会想:倘若有父亲会是什么样的? 哥哥姐姐的父亲已经出现过了。一个星期六的晚上,她在外间水斗洗晚饭碗,母亲在里间,和哥哥姐姐说话,哥哥姐姐统不做声,过一时,方听哥哥说,我又不认识他! 母亲拍一下桌子,要发作,又收敛住,压低声一字一字地道:他是你们亲爹! 只听椅子一记碰响,哥哥出门来,风一样走过她背后,一径下楼去。傍晚刚从学校回来,此时又返回了。哥哥的装束与小时全然不同,他剃了短短的学生头,穿一身蓝布中山装,胸前别一枚团徽,戴透明白色边框近视眼镜,只有脚下是一双黑色牛皮鞋,残余了些旧日的摩登。不过没多久,因得了

个外号,"爸爸的皮鞋",便脱下它再不穿了,长年穿一双
圆口黑布鞋,倒换了种他们郁家的耕读传世遗风。这样
的谈话又进行了几次,都以无果而告终,最后,哥哥干脆
不回来了。无奈中,母亲带上姐姐和她一同去见了那
人。母亲将她带上似有些多余,她和那人有什么关系?
也许有她没她,那人都不一定知道。她的在场还会使对
方尴尬。姐姐已是少女,穿的也是蓝卡其上衣,很老气
的样式,同样颜色布质的长裤,底下是丁字形猪皮鞋。
从小就是缄默的,此时表情近乎严峻。她手里拿一本卷
起的书,不是矫情,而是时下女学生的风尚,就像所有和
母亲别扭的成年女儿一样,走在前边。母亲则牵了小女
儿的手,落后一步。

　　见面的地点就约在不远处的公园后门。公园的后
门处于一条幽静的马路,两边是欧式小庭院,其间有着
近代名人的旧居,门窗闭着,掩在葱茏的枝叶后面。这
扇后门少有人进出,甚至也不像公园的门,而是通往一
个冷僻的无主的院落。一截水泥墙底下,从墙头垂落几

条疏阔的枝叶,淡影里立了一男一女,那男的就是等了见她们的人。整场见面都是在绕着草坪行走中进行。母亲、姐姐和那人走在前面,她和那女人跟在后面。她们这两人是这场会面中的不相干的外人,可是却微妙地平衡着其间的关系,这大约就是母亲带她来的理由。那女人企图挽她的手,被她让开了,而女人似乎也很高兴可以不与她作进一步的接触,买了根雪糕递给她,就不再与她搭讪。那男人自始至终没有正眼看她一下,对她的出现态度出奇的平淡,甚至,对她姐姐,他的亲生女儿,也没表现出应有的兴趣。当然,她也和他最后一次看见时大不像了,那时,她只有四岁。这人其实只在意一件事,便是与他过去的女人见面。而母亲,所以反复动员儿女来见父亲,看来也是意在与这男人见面。开始,姐姐走在中间,后来就让到旁边,踩着甬道旁砖砌的齿形镶边,好似与那两人无关了。姐姐的样子有些像走钢丝,两手微微张开保持平衡,她变得像小女孩子,有一点爱娇,又有一点寂寞。有两次,那两个人忽然站住脚,脸对脸地,言语激烈起来,等后面两个走上去,才又继续移步向前。而姐姐,兀自已经走到前面,将他们甩下了。就这么绕了草坪走几圈,大约一个时辰,她只看见那人的背影:瘦,窄,本应该是柔弱纤细的,但是在较强的劳动中磨粗了骨节,看起来就是干和硬。等他们结束会面,五个人走拢一处,也不知他是慌乱还是有意,他去挽那女人的手,却错抓了母亲的胳膊,被母亲甩开了。她看见他面颊上的肌肉抽搐几下,就只觉得这人可怜。看过哥哥姐姐的父亲,更觉着父亲有没有都无所谓。

旁观左右,要是父亲能由她选的话,她倒是属意于一个人,就是母亲称"何师"的那个人,一个老琴师。他不像别人那样与她嬉笑,而是很严肃。有一天,他忽然喊她过去唱,先唱一段滩簧,又唱一段"金陵塔",唱完之后,他将琴弓挂上琴把,说了句:好好读书。意思是这孩子唱戏是唱不出来了,读书吧!她觉得父亲就当是这样少言语,不轻薄,而且,受自己母亲的尊重。而这老琴师,却是足够做她母亲的父亲了。所以,说到底,她还是对父亲没有概念。如此这般,她对有关"父亲"的闲话就也能听之任之。而这些闲话盛传一时之后,亦平息下来。一是并没有什么新鲜材料可供给,二是现实生活的巨大容纳力。闲话中人,就在眼前,进出起居,每日的琐细早已抹煞了传奇的性质,将其变成你我他中的一个。所以,她的身世之谜虽然是公开的秘密,人人皆知,但事实上,她并没有因此而受到严重的歧视,她自己,也没有因此而觉着比别人不幸。在拥簇杂芜的市民堆里,其实藏着许多开放的空隙,供某种常规之外的因素存身。但这市民堆总体质地的平均密度又是相当高,足够影响那些空隙中的新成分,使之成为一部分。于是,又纠正了道德的偏差。那些新成分,却也并没有因此而完全销声匿迹,它们有时转化为个性的形式,改变了市井的平庸实际的面目。这确是一个很神秘的变化,无人知道,花落谁家?

　　也不知是这环境给予的,还是她自身所具备,这孩子的精神特别饱满,从她的眼睛里就能看出来。她褐色

眼球中间那个仁,很亮,这使她的眼睛有了多层次的颜
色。前边说过,眼型是杏形,尾部长长地挑上去,当她瞳
仁慢慢从正面移到梢上时,就有一种风韵,一种孩子才
有的风韵,完全不自知的美魅,天真的风情。她依然不
是那种清俏的女孩子脸相,有些粗糙。随了家境退步,
又长高长大,不能穿姐姐小时的衣服,衣着日渐暗淡,可
她就是不同寻常。有人走到后弄,一群玩耍的孩子中
间,一眼就看见她。走过去,回过头,还是看见她。这孩
子就像会摄人魂魄,她不经意地笑一笑,你却觉得她快
乐无比。她们一群小孩子一起玩耍的游戏也很离奇,她
们翻筋斗,由她从少体校学来的几手来教练。她指挥她
们依墙倒立,手撑在粗糙的水泥地上,脚向后翻上,抵住
墙面,这样排成一列。她很负责地检查完每个人的姿
态,然后轻盈地凌空一跃,倒立在最末一个旁边,像一个
以身作则的带兵的人。练完这基本功,就开始练筋斗,
侧翻,或是正翻,甚至向后仰翻,她做保护。在坚硬的水
泥地上做这些,实是很危险,可她们一点不顾虑,连大人

们也很佩服，站在门口欣赏。看她们排了队，依次一个
接一个翻过她的手臂。即便有人跌倒了，那么，拍拍身
上灰爬起来，再加入行列。大家学艺的心情都很迫切，
对她言听计从。她做出少体校里教练的架势，大声吆喝
着。她的衣着是这样：将衬衣系在束脚线织运动裤里，
腰上缚一条黑色宽幅松紧束腰带，就这条束腰带，显出
专业的性质。两条短辫交叉着别在头顶，额上汗涔涔
的，粘了一周碎发。等学生们都练完，轮到老师她表演
了。她身轻如燕，姿态矫健，纵横弄堂，在逼仄的空地上
做出惊人的花样。大家贴紧墙根，为她喝彩，她的那点
小小的荣誉心啊，涨得满满的。你真是很少看得到这样
不矫造的孩子，快乐，虚荣，全是热情澎湃地流淌着。

　　她们后弄里渐渐加入进一个外来的孩子。她家住
同一条街上的公寓弄堂内，是到前边店家买东西，通过
店堂间，被后弄里龙腾虎跃的气氛吸引，然后潜进去。
这孩子也属生性活泼的一类，先是看，后是跟，再加入其
中，打成一片，一同练起把式。她显然缺乏天分，腰板很

硬,手脚笨拙,并且穿着极不适合做这样剧烈的室外运
动。她的衣裤都相当合体,不像这条后弄里的孩子,因
都是承上启下,所以不是大就是小,或是拼接与缝补过
的。这小外来客的短外套样式很新颖,灰色薄呢质料,
袖口很宽,齐腰,像一口小钟,里面是细绒线衣,一种英
文叫作"Dirty Pink"的粉红,粉色中带些铅色。底下是呢
格子短裙,白长统袜,系带皮鞋。这条后弄的孩子,和她
们的大人一样,有着点势利心,同时也有着自谦的品格,
所以克服了排斥心,没有驱赶这个来自公寓房子的孩
子。相反,还很欢迎。她们纷纷奉献自己的衣裤鞋袜,
为她换装,她们的首领甚至借给她那条最具专业意义的
束腰带。然后,至少有四五双手,抱着,托着,推着,架
着,将她倒扶上墙,待她撑不住时,再扶她下来。这孩子
所在的弄堂,是条清静的弄堂,邻里们多不来往,小孩子
也自顾自。照理这孩子是受管束的,也不知是怎么避了
大人的耳目跑到这里来厮混。她是在那所重点小学就
读,就是有着大食堂与大操场的,所以就能通过几条相

连的弄堂来到这里。所有的小孩子都会穿弄堂,就像地底的鼹鼠,将蛛网般的暗道走得个四通八达。她显然从来没有过这许多玩伴,而且如此的诚挚,这里的生活也让她觉着新鲜:窥探店堂隐私样的内部,小孩子与店员没大没小地斗嘴,还可端了碗立在后门口吃饭。当她长大后,也许会厌恶这种无遮拦,裸露的生活,见出其中的粗陋,可她现在不是没长大吗?就还没有被教养出偏见来。她是衷心地喜爱,喜爱它的热闹,乐天,无拘束。在这一切之上,她最喜爱,几近崇拜的,是那孩子。那孩子所在的民办小学,分散在几条马路的民居里,曾经有一度,楼上人家水管破裂,致使教室漏水,不得已借用她们的校舍上课。看他们规规矩矩地排了队,由老师带领,走进学校,上完课又排了队悄然离去。有几个比较蛮的男生嫌他们占用地方,拾砖头掷他们,他们中间的人要还手,却被他们的老师喝住,迅速地带队离去。可谁想得到呢?在这暗淡的学校里竟有着如此活泼的生活,她们有课余的歌舞表演队,有学生参加少年体校的体操班,在课堂上老师与学生口角来去,事后又谈心和解。而那孩子则是这生活的中心。这孩子的见识是她想也想不到的,尤其是那舞台生涯。她们每回练过功夫以后,就是站成一堆,听那孩子说。她特别具有表述的才能,什么事情一经她描绘,顿时光华四射。她的嘴型本来就有曲线,动作起来分外有表情,她看着她嘴动,很快就入迷了。后来,她就把她带入自己的公寓弄堂里的家。

这条弄堂很宽阔,也很简直,不与任何弄堂相通。弄口朝南,直向北去,分开东西几排楼房,楼房四层高,因楼层间距大,所以总体看去倒有五六层的样子。每东西两排的上方,跨过宽弄的上空,由一条水泥天桥相连接,大约是为固定楼体。墙面是奶黄砂粒面,爬了长春藤,藤间凸起铸铁镂花阳台,还有狭长的镂花铁窗,流淌出殖民时期建筑的欧陆风情。每层楼面两或三套公寓不等,每套公寓大小也不等,这小朋友所住的是其中大套,却是与另一户合住。她带那后弄里孩子去她家,主要是为带给她哥哥看。她哥哥比她大三岁,已上初中,长的样子竟有些像那一位的哥哥,亦是细白的长脸,眉目清秀,沉默寡语。但再一看便觉截然不同。那一位哥哥是凛然的神情,这一位却有一股甜美的气质,甚至比他蛤蟆脸、扁嘴的妹妹更像女孩子。但兄妹俩都是肤如凝脂,发黑眼亮,优渥生活里出来的孩子。显然,兄妹俩也很少朋友。一般家中的兄弟姐妹都是搭配好的,一个活跃的搭着一个沉闷的,然后由活跃的拓展社交。这里显然是由妹妹来承担这开创性的任务,哥哥就必须等待她长大,有几年时间是闲置着度过,又将性子养得更内向几分。当妹妹带着她的小朋友走进家时,她哥哥正在一张玻璃台面的方桌上做作业,陡地站起来,很紧张的样子。一般处在成长时期的少年,因为身心不平衡都会显得鲁莽和生硬,可他因为性格分外的温和,所以就只是羞涩。他羞涩地站了一会儿,就避到角落里写字桌上,继续写作业。但耳朵却是张开着,听两位女生说话。妹妹显然是了解哥哥的,并不勉强他来参加,只是鼓励

她的朋友再次叙述其见闻阅历,不时点出她无意忽略掉
的细节,让她着重描绘。她也能领会,就加倍详尽,绘声
绘色。听者则夸张作出反应,惊叹和大笑。两人都有些
故作声势,是小女生对大男生的兴趣和崇拜,期望他消
除顾虑,放下架子,共享欢乐。果然,说到一个关节口,
一桩极惨烈的事故,一名演员翻跟斗,没翻好,人倒着直
落下地,结果头给顶进肩膀里面去,再用机器给拖出来。
小孩子有时候会特别热衷于残酷的事情,好像为了刺激
想象力发育似的。正讲到这惊心动魄之时,那边发言
了,那人说:这是不可能的,因为人的头颅是由颈椎支
撑,一节扣一节,怎么能套进去。那妹妹则狂热地辩解
道:可是,颈椎骨都碎了呀! 哥哥说:那就是骨折。他立
起来,从书桌上立着的一排书中抽出一本,翻到一页,
说,你们看。两个热汗涔涔的小女生便走过去,看那书,
是一张人体解剖图。男孩子一一指点给她们看人体的
脊椎,颈椎,她们便也安静下来。

　　这家的大人是医生,早中晚班不知如何倒的,小孩

子总能掌握规律,当他们不在家的时候,带这后弄里的
朋友潜入家中,再在他们将要回来之前,驱她离去。她
哥哥也总是在家,他属于那类特别乖的男孩,一放学便
回家,因性情细腻而不惯与男孩做伴,所以,和这两个女
生,倒挺合得来。他们兄妹感情很好,在很长一个时期
里,妹妹是哥哥惟一的玩伴,像他这样安静的人,正需要
一个活泼的妹妹。他挺娇纵这妹妹的,因此,妹妹也很
放肆。他们兄妹相处的情景,使那外来的孩子分外有感
触。她自己的哥哥总是令她胆寒,邻里间也有要好的兄
弟姐妹,可在他们后弄里,感情的表达总是粗鲁的,又总
是要为这粗鲁伤害的。她所以听从小女朋友召之即来,
挥之即去,可说全是为这一对和睦的兄妹吸引。为了报
答他们对她的友爱,她甚至为他们作了一出危险的演
出。他们提起,楼顶上连接两排房体的天桥,是一条狭
长的水泥甬道,只能供一人通过。有栏杆,可及一个小
孩子的腰的高度。弄内的孩子,常常谈及通过天桥的冒
险,从来没有人胆敢完成此举。只能看见几个孩子,畏

缩在天桥的一端,望着对岸打寒战。再嘴硬的孩子,一到实地现场,脚都会发软,然后放弃誓言。她就向他们说,她可以走过天桥。他们先是不信,说你是没上去,一旦上去,就不能了。然后又劝阻她,万万不可,一旦走到中间,想进不能,想退亦不能,谁也救不了她。他们劝阻的态度越是诚恳,她的决心越不肯动摇。后来,他们见说不转她,就提议做一个安全带。就是说找一根绳子,拴在她腰上,至少可以壮胆。她只是笑,笑他们多此一举。到时候,兄妹俩还是找了一根背包带,提在手里,出发上楼顶了。

他们先将她送到对面的楼底,看她上楼,再回到自己楼,上平台。他们表情严肃地来回一趟,已经吸引了一些小孩,晓得他们是要干什么,便也跟着上了两边的平台。显然,这是一个顶尖游戏,因没有人完成,增添了刺激性。这些平素不大往来的孩子,彼此并不说话,只是默默地相跟着上了平台。一上平台,风就大了,将他们的衣衫鼓荡起来。在他们眼里,平台大到辽阔的程度。在这条街上,很少有高于它的建筑,远处有几幢,并没有将它比得略矮些,反而突出了它的无依无傍。因没有遮拦,天空也变得远大。这几个小孩子孤零零地走着,彼此间拉开距离,看上去很疏离。他们已经看见那外来的小朋友停在对面天桥口了,他们还只走过平台中部的水箱。那孩子激烈地向他们挥手,身后也聚了二三个小孩。在楼底,两幢楼之间似只有几步距离,这时却如此遥远,星云河汉。这兄妹二人走到天桥口,略一侧目,便觉身下是万仞深渊,二人忽都感到绝望,妹妹手里那一卷背包带,百无一用到令人悲哀。她将手圈在嘴边,向对面喊:不要过来! 风一下子将她的声音吹散了,眼泪却流下来。对面的孩子走入了天桥。她显得小极了,而且,走得慢极了。两头的孩子不由自主都缩起脖子,有的还用手握住嘴,免得叫出声来,那孩子的小女朋友则抽噎着。天桥底下,人们兀自往来着,也有一两对站定了闲话,完全不知道在他们头顶上正在发生着什么。弄前的街道照旧车来车往,午后三四点钟的繁忙,带着种闲暇和倦意,正在将一日里的生计最后收拾起来的样子。也不知道头顶上在发生什么。她走到天桥中间的时候,有几个女孩子胆小地捂住了眼睛,她那小女朋友哭得更伤心了,事情已不可挽回地走向覆灭。等那孩子走过一半,开始接近他们的时候,她渐渐停止哭泣。她看见她朋友面带笑容,神情自若,她两手搭在两边水泥栏上,水泥栏比她的腰还略要矮一些。她左盼右顾,好像底下不是十数米深的弄底,而不过是那种公园小桥下干涸的浅河床。她再走近些,笑容就更灿烂了,因为马上要回到她的朋友中间,他们就好像分别了许久似的。她加了速度,跑起来,风将她的额发吹起来,她就像要跃出栏杆。最后,从天桥跨上平台的那一步,她做了一个平衡木下地的动作,双手举起,两脚立直,向上一挺,安全着陆!

那哥哥始终站得远开一步。他在这孩子群中,显大了,有点不合适。他表面没什么,心里却激动得厉害。有几次他不敢看那凌空而行的小女生,转开眼睛。视野

里是一片空旷的蓝,几点小黑粒子在飞行,鸟儿还是放
飞的风筝。他的心忽也变得悠远起来。这个安静如水
的少年,体内活跃着成长的激素,由于外部生活的单纯,
更加丰富了内心。他,对这个外面弄堂里的小女生,产
生了爱情。他爱上她了。这个小姑娘,性情与他妹妹有
些像呢! 许多男女之爱都是从对哥哥或者对妹妹的感
情上生发出来的。但是,她却又相当不同。她的活泼,
热情,似乎更具感染力。他的心像擂鼓一样咚咚地响
着,他觉着自己也和她一样,走在令人眩晕的天桥,脚下
是万仞深渊。在这个年龄段上,三岁或四岁就像是个很
大的差距,而他又更看自己妹妹小一些。所以,他就在
心里下决心,要等这个女生长大,长大到可以与她做朋
友。妹妹很快就感觉到,哥哥参加她们玩耍未免多了
些,这不符合一个中学男生的身份。她们玩的那种女生
的游戏,哥哥竟也有兴趣插进一脚,这使她觉着别扭。
然后,她就发现其中原故,就是她这个新朋友。小女生
多是小气的,而且,又总是会对要好的人小气,因要好的

人才会与她们分享什么。她就有些不高兴了,由这不高兴,而对这朋友不满。于是,所有的过去吸引她的地方,都反过来刺激着她的妒嫉心,她就必须寻找出朋友的缺陷,显而易见,就是她的出身。其实,她未必了解她朋友的身世,但在她们眼里,住在后弄里的人都是低下的。其实她也未必像她自以为的那么有偏见,可她现在不是不高兴吗? 大约有一个星期的时间,她没往那条后弄里去,跟她们玩,或者喊那朋友出来玩。正是在热头上,这突然的间断就显得很反常。有一日,她的朋友便不请自到,上门去了。那小孩子趴在她家阳台上,看见朋友转进弄堂,向她的楼下走来。她看见她走路的姿态,有些夸张的挺拔,胸和臀的曲度都出来了,像个小女人。忽就觉着恶心,想自己怎么会和这么个女生交道呢? 连自己都变得低下了。她听见敲门声,先是撑着不理会,好让敲门人自己离去,可敲门声却很有耐心地,一记一记响着。实在挨不过去,将门开出一条缝,小声说:我妈妈在家! 说罢,立即合上门缝,不见了。

　　她对了紧闭的门站了一时,感觉到门里边也站着
人。女生间常常是这样,不晓得怎么生出芥蒂,说不理
就不理了。她没有过于深究其中的原由,只是感到失
望。她又站了一时,才转过身下楼,走出门去。眼前的
街景依然是明亮的,梧桐树上流连着西斜太阳的光影,
可心里却是黯然的。她初初尝到世态的一点点炎凉,这
炎凉还不是那炎凉,根本不明就里。她并不知道有个少
年在热烈地爱恋她,这个有些女孩子气的男生其实并没
有进入她的眼睑,只是她所忠实的朋友的哥哥,当她们
快乐玩耍的时候,悄然立于一边,亦将他的少年之爱悄
然布于她全身。人和人就是不一样,有的人终身平淡无
奇,有的人,极少数的人,却能生发出戏剧的光辉。这也
是一种天赋,天赋予他(她)们强烈的性格,从孩提时代
起,就拉开帷幕,进入剧情。

3

千朵万朵压枝低

——摘自唐诗《江畔独步寻花七绝句》(杜甫)

"文化革命"开始那一年,郁晓秋十三岁,正临小学毕业,准备考中学,突然就中止了学业。先是欢喜了一阵,因为不必上学,而且街上有热闹可看:大字报,破四旧,游行。再接着,情形就有些不妙,因为热闹看到自己家里来了。母亲剧团里上门抄家,人却被圈在剧团里不让回家。头两个月连工资都停发,后来才开始按人头发生活费。哥哥在门上贴了大字报,直呼母亲为某某某,加上"社会渣滓,封建余孽"的名称,声明与其划清界限,然后再抄家一遍,把母亲旧时的照片,以及自己旧式穿扮的幼年照片,付之一炬,拿了些过冬的衣服走了。在这当口,姐姐患了肝炎,住进医院。这年她刚过十八岁,母亲单位依规定不承担半劳保。于是,郁晓秋便跑到母亲剧团里找母亲。她可算是在剧团里长大的,平素都是叔叔伯伯,阿姨阿姐,可此时变得陌生了,少有几个人正眼看她,不认识似地擦肩而过。她说要找母亲说话,人们说不可。她就在传达室里坐着,坐到下班,第二日再去。一直坐了四五天,终于有人与她交涉。那人也是认

识的,学馆里出来不久,本来就不"噱",如今加倍板一张
脸,公事公办地说话。交涉的结果是,母亲不能见,某某
某正交待历史问题,她亦要有正确态度对待。鉴于她们
家目前实际困难,给她开一张证明,凭证明可到银行取
出冻结存款五十元。她这才打道回府。家中只剩她一
个人,难得没有人差使她,她从小又会照料自己,生活不
成难事,倒别是一番清静和自由。她将母亲剧团恩准取
出的五十元钱交给姐姐,姐姐名下那一份生活费是分为
两半,一半买饭菜票给她,另一半则作营养用途。所谓
营养是从邻里大人处听来,肝炎要补糖和精肉。她很会
计划的,糖呢,就买清粽子糖,瘦肉是牛肉干和猪肉脯。
这两样都带有闲食的性质,是女孩子喜好的零嘴。每周
一次,她带了这些去肝炎隔离病房探视。家属站在走廊
里,隔了道窗台,与病人见面,交割东西。姐姐慷慨地分
出一点给她,姐妹两人面对面嚼吃一阵,然后分手,一个
回病房,一个回家。家中无人,余下这对姐妹,怎么也要
生出些相濡以沫的心情。

郁晓秋一个人走在街上，落叶扫尽，已是这一年的深秋。秋阳高照，亮晃晃的。她穿一件格子线呢的外衣，也是姐姐穿下来的。其实她已经比姐姐高和丰满了，所以衣服总是窄小的。她穿了方口系带塑底黑布鞋的脚，偶有一回，踩在枯叶上，枯嗞嗞一响，她走过去了。在这个凄凉的时代里，她显得格外鲜艳，而且还很快活。这是生长本身滋养出来的，多少是孤立的，与周遭环境无关，或者也有关，只是不那么直接。健康的生命，总是会从各样环境里攫取养料，充盈自己。略有些向晚的光，从斜侧的角度照过来，在她脸上投下一些影，她的脸部显得很明丽。在她渐入少女时期，由于内分泌的活跃波动，她的脸部会呈现绝然不同的情景。有时候，它笼罩在阴霾之中，陡地暗淡下来。皮肤的肌理颗粒，绽现突出。五官的线条本来就复杂，现在则有些乱。她眼睛里的褐色的瞳仁，被晦暗的气色遮盖住，光芒便弱了。此时此刻，她变得丑，粗陋，而且招人议论。议论是晦涩的，似乎是，这脸色中隐着怎样私秘的病症，又与品行有暗中联系。人们暧昧地说：小姑娘怎么会有这样的气色？说真的，这气色确是类似成年女人的含有情欲意味的憔悴，但这只是表面上的相似，内里是生长激素的不平衡运动。各种因素竞相增长，互相催促，经过激烈的调整，一旦达到和谐，她的脸部便焕发出灿烂的光彩。这时节，真是每个人都会看她几眼。她的美丽却又超出了少女的好看的范畴，也不完全是成熟女人的美。是有一种光，从她眉眼皮肤底下，透出亮来。这种亮，将她的脸型、鼻型、双睑的线条，唇线，勾勒得清晰，而且均衡协调，肤色匀和，眼睛放出光明。少女的五官轮廓多是不那么肯定的，有些含混不明，而成年女人清晰是清晰了，却又圆熟了。她既是鲜明，又是清新。就这样，荷尔蒙在寻求稳定的过程中，颠覆与平衡，在高潮低潮之间来回摆动，影响到她的外部，便是在阳光与阴霾中交替。这情景总起来看，其实是瑰丽的，包含着生命的奥秘，可推而广之于世间万物的由嫩到盛。

由于身心内部的活力充沛，所以郁晓秋几乎注意不到外部世界的荒凉。那突然多出来的大片大片闲暇时间,她总是能够填满它。她的年龄已经不适合做弄堂里的玩耍游戏了,可她当然还不能承担大人的谋生的事务。即便是在这尴尬的空闲里,她也不生惆怅之感。她时常去到学校里,虽已停课,老师却还来上班,对待她不再像以前老师与学生的关系,会与她谈些家常,还向她讨教生活常识。比如几点钟去菜场可买到黄鱼带鱼,哪一家早点铺的豆浆比较稠厚。有女老师的小孩生病不能去托儿所,带到学校来,她就接去自己家里带半天。将饭煮得稀烂,拌上炖蛋,糊糊地往小孩嘴里送。小孩子都是隔锅饭香,竟也肯吃,还比在托儿所过得满意。她呢,因为能带老师的小孩回家,在邻里间也能获得尊敬,有人特特地过来看望。到了下半天,双双都很自得地往回去办移交。有时,她还会去少年业余体校,那里更空寂些。训练自然已经停止,教练们都集中到上级部门去上班,只余下门房的老伯伯。因认得她,她又向来嘴甜,所以也放她进去。体操房里软垫统倚墙叠起,器械拆走,只从天花板垂下几个吊环。落地窗锁着,透过窗玻璃可看见前边的篮球操场。久不铺细沙,地面粗而硬,还不平,有几处汪了前几日的雨水。她在吊环上荡了几下,吊环的栓扣生锈似地,嘎啦啦响,因没抹滑石粉,掌心不一会儿就磨得生痛。她又到扶把上做几个动作,扶把上的灰印下了手印子。她看见阳光里自己的身影,有几分陌生的好看,便盘旋一时。有时,操场上翻墙进来外面的野孩子,拾捡起废弃的破篮球,将篮板砸得砰砰响。等老伯伯发现来驱赶,立即翻上墙头,骑在墙上,唱几句辱骂老人的歌谣,然后消失在墙后,重又安静下来。地板上她的身影也拉长了。

偶然,郁晓秋会在这里遇上几个人,也是过去少体校的同学,篮球班,或体操班,高班或者低班。他们有的是进来看看还有没有革命的遗漏,好再补上一笔。有的也是像郁晓秋这样,到体操房来玩。还有一些则单纯是碰熟人来的。总之,都是没事。多来几次,勿管熟不熟的,总能碰上几个,这时也都觉着亲近。渐渐地,就有些相约而来的意思了。空旷的体操房里有了声响，老伯伯过些时就会探头张张，并不干涉，再退出去。都是昔日来这里训练的孩子，使他想起那时候喧腾的情景，他心里是喜欢有些年轻的动响的。三五个人一处聚了几回，忽就萌发了做点什么的念头，最自然的，就是成立文艺宣传队。他们学体操的，都能跳舞，又是来自各个学校，关系就广泛了。他们下一次就各自带了新人，再下一次，新人又带新人，如此递增，人员迅速壮大起来。唱歌的，演剧的，吹拉弹奏的，体操房里正好留有一架钢琴，原是为训练伴奏的，蒙了帆布罩，推在角落里，这时也见了天日。他们将体操房打扫一番，挂上宣传队的招牌，为起名很费了一番脑筋。因此时可谓是揭竿遍地，什么样的名字都用尽了，都有重复之嫌疑，最后，几个高中生拍板决定，索性就事论事，就叫少体校宣传队。牌子挂上，少体校就像重新开张，门房老伯伯也有了事做，一早就烧茶炉，开门开窗，洒扫庭除。这帮少年正逢精力充沛时节，热情高涨，索性将几个办公室辟为男女宿舍，拖过训练用的软垫做地铺,不回家了。夜里,体操房灯火通明,歌声琴声大作,简直是夜夜笙歌的意思。季候已是入冬,枝头的叶子落净,疏阔地伸向寒素的天空,灰白的日头将建筑物投下淡薄的影。西伯利亚的寒流数次侵袭这个地处江南的城市,将空气中的水汽冻成冰霜,四下都泛白。可是,这里,热火着呢!他们在地铺上冻得麻雀似地挤成一堆,哆哆嗦嗦地起来,缩着脖子跑过冷风飕飕的走廊,去公共卫生间洗脸。水管子都冻上了,浇上开水,才有水出来。然后,被支使去买早点的人也回来了,只这一会儿,刚出炉的大饼油条就冻硬了。那受支使的人多半是郁晓秋,她是这伙人里不多几个小字辈中的一个,还滞留在小学,不知何时方能升入中学,也没有红卫兵运动的阅历。他们中间的高中生,所受教育程度最高,革命的资历也最深,年龄又最长,自然就成了首脑人物。郁晓秋很乐意为大家支使,不支使她还要争着做。她拿了食堂里一口大号钢精锅,锅里盛豆浆,翻过来的盖上,搁大饼油条。双手戴了半截的毛线手套,露出的手指头冻得通红。又怕豆浆凉,又怕豆浆泼洒,只敢小跑着,跑进院子。她从心底里喜欢,甚至感激这日子,为有这日子,她甘愿为大家做奴仆。

冻硬的大饼油条啃下去,再喝几碗温吞了的豆浆,身上就已热了。年轻的身躯只需要一点点燃料便可点起火来。等到弦管歌舞起来,就要热到冒汗,需要脱去棉衣了。他们都十分卖力和认真,将那些简单、甚至幼稚的动作反复练习。在这些刚直生硬的舞蹈里面,也微妙地藏有一些婀娜的姿态呢,它们出其不意地体现出少女的窈窕的天然。就是这,使舞蹈的女生显出差异。令人惊讶,同一种性别竟会有如此不同程度的性别含量。在这些朴素以至乏味的衣服底下,被羞怯和偏见拘束着的身体,都在以各自的个性方式生长性别的特征。在那些坦然的天性之下,它们得以尽情的发展,于是显得格外妩媚。那些男孩子们,远没有长到了解女性的年龄,他们只是本能地受吸引。这里的女孩子,因为从小受过形体的训练,都要比较其他孩子更具有自我的意识,站在人群中都触目得很。可是,当她们这些人聚拢一处,便立即有了不同。这又要归于天赋,人们所拥有的自由和热情都是不同等的,那不是按照平均原则分配,而是取决于本人生命的元素是否活跃。郁晓秋在其中显得突出。无论举手或是投足,都有一种别样的意思。那些较为年长的女生称它为"造作",总是企图纠正,却不知从何纠正。其实她们也并不能认得清,那不是"造作",只不过是性别特质过于率真的流露,与革命的歌舞很不符。这种气质似有些腻,其实也不是腻,而是多少有一点肉体性。她们背地里讨论过是不是不要她参加舞蹈,派她去干别的,可终还是下不了决心。她那样热忱地排练,还为大家服务,而且,她真的有一点迷人呢! 在排练的空档里,她一个人在空场子里旋转,大跳,裹着一团蒸腾的汗气,在玻璃长窗映进来的阳光格子里,像一个毛茸茸的雌性的小兽,四肢有力,弹跳敏捷,神采奕奕。

然而,不久,郁晓秋却自己提出不跳。问她缘由,她抵死不说。然后,过了几天,郁晓秋不经劝说,自动回进舞蹈队列，跳起来。再过几天，又不跳了。这么罢跳与复跳来回几次，人们便见出端倪来，原来这都与一个人有关。这名男生是辗转找来的，从小练过钢琴，如今在乐队拉手风琴。排练的间歇，郁晓秋一个人自编自舞时，总是他弹钢琴伴奏，弹的旋律亦是即兴自编，或是从某一支名曲中撷取，倒很和谐。他是高三年级学生，在这一伙里面，属最年长的。人长得很高，看上去有一米八十以上，虽是瘦，可骨架宽大，所以还撑得起。照理是魁梧的，然而他神色里有一种怯意，透过琇琅架的近视眼镜，目光闪烁不定，这就使他奇怪地缩小了，变得委琐。他就住在少体校附近的一条小马路，林阴道边花园小楼中的某一间。家境很好，倒不是资产者，而是殷实的职员，家中只他一个孩子。从他七岁开始，家中便每月付出二十五元薪水请钢琴教师授课，这笔钱是可供穷人家过半月一月的。却有人传说他是领养的，大约因此才显得惴惴，似乎不安于所得所受。他琴学得很正规，程度也相当深，有时，排练间歇，人们要求他演奏一个西洋曲子,他就弹萧邦的协奏曲《悲怆》。大家静着,并不听得很懂,只听得一串赶一串的音符,轰然作响,并且久不散去。在休止与停顿里面,就听弹奏者粗重的喘息,让人觉出弹琴的吃力辛苦。他显然没什么情调,乐器在他手下就像机器,只因刻苦认真,一板一眼,就操作得很好。他不太说话,人家说话,他亦向隅而坐,似听非听,手在键盘上兀自爬行。所以,这机器又像是他的喉舌,喉舌也是枯燥的。但性情孤僻的他,并不反对与大家共处。他不过宿,吃在这里,逢吃饭时,他用自带的饭盒装了饭菜——饭菜是粗糙的,偶有请去演出的工厂企业给一点劳务费,或者到某组织去筹要一点经费,宣传队的财政是清简廉洁的——他一只手平托饭盒,另一只手持一把勺,一口一口送进嘴。吃相很规矩,但因是这样军旅生活的食风,又是混迹在一群看起来比他幼小的少年人里面,就有一种沦落的样子。他穿军服的样子也很不像。军服都是东一件西一件搞来的,有真的军服,比较旧,洗得发白,又因年头军衔不同,旧和褪色的程度,以及款式也有所不同。领章肩章的钉痕,流淌出历史的风貌。也有假的,就是剧团演出用的服装,成色比较新,裁剪则更精心仔细,看上去就齐整得多。因他身材特殊,找不到合适的,其实他不穿也罢,可他偏去买了布,在裁缝铺做了一套,颜色是生生青的绿,身腰是人民装的款。他却还郑重地系一根皮带在腰里,又找来一顶军帽戴着,那样子很是古怪。因军服总是草莽气的,是这时候的摩登,而他是陈旧保守的气质,两下里很不符。总之,他在宣传队里显得落落寡合,形单影孤。

就是这样一个人,影响了郁晓秋的情绪。人们发现,凡他在场,郁晓秋就不肯跳舞,而要打钹镲,他有几日没来,郁晓秋又站进去跳了,等他来,又不跳了。经几个女生盘问,郁晓秋才秘密地告诉说,她跳舞时,他总是看她,看她的胸和臀。本来是答应保密不说,可女生们的保密就是那么一回事,总是要讲给最要好的人,最要好的人又总是有更要好的人。开始还只是在女生中间传,后来也不知通过什么渠道,似乎是在他们中间,已经

有了更为亲密的异性关系——少年人朝夕相处,难免日
久生情——于是,便传往男生那边,终至哗然。这时,他
们这一支宣传小分队,已经挺像模像样,去到工厂,学
校,体育馆,街头,演出频繁,小有影响。所以内部的建
制和管理也进入日程,日益健全。这事就上了决策层,
进行认真的讨论。讨论的结果是,此事万不可等闲视
之,它将会损害大家的思想品质,以至堕落风气。过了
几日,经过紧张的筹备,甚至停歇掉一场演出,就宣布在
某一晚,召开民主生活会议,专门批评和自我批评。会
议的内容大家心下都明白,这一天里,人们奇怪地沉默
着,不晓得这个即将来临的晚上,会发生什么。似乎是
令人害怕的,还令人难堪,可是,多少有些兴奋呢! 郁晓
秋从下午就不见了,人们并不去找她,格外对她宽容。
其实她哪里也没有去,而是一个人呆在更衣室里。更衣
室的衣柜都空着,也不锁,她无聊地一扇一扇打开,有一
格里还团着件紫红的球衣,上写三十七号,发散出一股
没洗净又隔了日子的捂熟气。想那时,这里是最嘈杂拥

117

挤的地方,女生们只能单腿立着换裤子,一个倒下来,连带一片都歪了。更衣室通淋浴室,并不是每天有热水,只是每周一和周四的晚上烧热水。这一天可就挤出浆来了。小女生们剥去衣服,裸露出雏鸡般的身子,所谓"肋排骨可以弹琵琶",互相抱紧了,挤在莲蓬头底下,淋得透湿,青白的皮肤泛出红来,又变成了"剥皮老鼠"。现在,一切都沉寂下来了。郁晓秋终于感觉到时代的荒凉了,可这荒凉,其实又不全是从时代生出来的,还有一些,来自于成长,成长的某种阶段。她没敢跑出去吃晚饭,不好意思,其实没有她的错,可就是不好意思。她在浴室里,将水管当扶把,练功,旋转,大跳。地砖长久干涸,很粗糙,磨着鞋底。她跳累了,就停下,不多会儿却觉着冷,站起来再跳。这里,白天也需开灯的,但从浴室高处的气窗上,看得出天色转暗,最后变成漆黑,甚至还可看见一颗寒星。这里真是冷了,那时的人气已经收干收尽,从地,顶,四壁,渗出森凉的寒意。她将那件遗忘的球衣套在身上,蜷缩起来,鼻子埋在陌生人的气味中。

静静的,什么也听不见,她无法想象外面正发生什么。

体操房里灯光大亮,却没有歌声琴声,气氛格外严肃。队长宣布开会,作了一个冗长的发言,不外是革命的形势,国家的命运,青年的责任,洋洋洒洒,很像一篇社论。人们都很耐心,虽然有一时,大家以为会议并不像事前所以为,要涉及那样的题目,心下有些轻松,又有些扫兴。终于,队长的发言有些暧昧起来,他说到年轻人的情操,就是"情操"两个字,眼见得要接近那题目了。人们重又紧张起来,可他却又迟疑了,让大家发言,开展自我批评,结束开场白。接下来有几个人发言,检讨多是排演中怕苦怕累,或者风头主义。队长插言道:谈谈生活作风方面的。这一句点题,意思很明白了,但还是不敢进入正题似的,几名女生抢先检讨了饮食起居上的骄娇二气,将话题又拖延一时。已经有一小时多过去了,队长终于点了他的名,说:某某某有什么要说的呢?畅所欲言嘛! 大家便都安静下来。

此时,人们方才发现他今天所坐的位置就不寻常,他与几个领导坐在有数几把椅子上,在席地而坐的男女少年中间,本来就是人长,其时更显得突兀,几乎顶在天花板下。他的一双瘦手在并拢的膝上,相交握紧几回,嘴也闭紧又张开几回,然后发出一个音:我——这一声引起笑声,因人们是不大惯听他声音,听见很觉滑稽。队长立即阻止道,严肃些,可气氛还是略微松弛下来。他自己也笑了,脸上浮起些红晕。他又说:我——这一回人们不再笑,他才继续下去。他说,我坦白,我的思想意识有问题。他的相握着的手在膝上解开,平放着。我思想意识不健康,他继续说。人们不由惊讶了,惊讶他能坦荡,并且准确地切入主题,大家围绕着这主题兜了多少圈子啊!可是,还是有一些滑稽的东西,是他的声音? 语调? 措辞? 这些分明是严肃的,可是在他这么一个人身上,却如此不相投,多少是故作,或者说硬装,就有了讽刺的效果。又有人笑了,接着是哄堂大笑,连队长都掌不住,也笑了。这一阵尽情的笑过去后,其实就可以顺势下台,结束,散会,睡觉。他呢,回去他那个花园洋房某个房间中的,养父母的家,也睡觉。郁晓秋已经溜出更衣室,上了二楼临时宿舍。她又冻又困又饿,也没开灯,借着窗外的月光,摸到自己铺上,钻进被窝,转眼便睡熟。楼下体操房正开锅呢!

笑过了,有些人意阑珊,月亮也到中天。可是不,他继续往下说。因为突破了开头难这一关,他说得流畅起来。他说他的思想意识不健康,主要源自于所受的教育,什么教育呢?他读的那些课外书籍:中国古典的有《红楼梦》,外国的,大多是十九世纪俄国小说,屠格涅夫的《贵族之家》,托尔斯泰的《安娜·卡列尼娜》,陀思妥耶夫斯基的《罪与罚》,还有法国自然主义作家福楼拜的《包法利夫人》……他报上长长一串书单,那些外国人名从他嘴里流利地淌出来,不过带有阿宝背书的意思,脸上表情也是木呆的。报完书单,他开始讲书中的内容,队长提醒说不要扯远,但也有人主张让他说。他为难地两头看看,委决不下,最后选择折衷。于是依旧介绍内容,但只拣有关的细节:《贵族之家》里边,那位有妻室的

贵族最后到修道院看望爱人,她从他身边低头走过,他
只能看见她的侧面,但有一瞬间,她的睫毛颤抖了几下。
渥伦斯基在火车站遇见安娜,忍不住回过去再看她一
眼。还有安娜在舞会上,以一袭黑裙,把吉蒂击败,落荒
而逃。再有,包法利夫人一早从家出发,乘着马车进城,
到小旅馆去和情人幽会……这些细节均是与男女情爱
有关的,事情正在引向最主要却也是最危险的边缘,四
下里肃静一片。他的双手离开膝盖,时不时打几个手
势。他的脸型由于亢奋而改变了,变得比较胖和圆,咬
嚼处的肌肉因活动而显发达,脸相有些粗鲁。他的眼睛
在近视眼镜后面睁圆,转动灵活,并且发出灼亮的光。
人们躲着他的眼睛,可他的眼睛却搜索个不停。这一节
在带了些猥亵感的气息中过去了,他似乎累了,手落回
到膝盖上,脸上的光泽褪去,暗淡下来。

　　他低头看了看手,似乎觉着了难以启齿,可还是坚
持说下去:我就是受了这影响,思想意识起了变化。有
一回,他的表情又回到原先的木然,很像是一部说话的

机器,一旦开启,便运作起来,不刹车就不停止。有一回,我走过女生宿舍,看见一个女生,正在穿衣服,她的胸部很丰满,我突然有了冲动,从此,我总是从女生宿舍门前来回,有时关了门,有时没有人,还有时,有人,在睡觉,我确实是很难控制住自己,但最后,还是控制住了,可是,很困难,我克服了困难。他实在是说多了,而且说得这样暴露。并没有人让他说这么多,可是,也没人阻止他,而是任他说下去。他继续说着,当他看到这女生时,目光由不得自己会去看她的某些部位,激动难已,并且,身体会起反应。他机械的声音里,有一股惯性,一路向下走着,无所阻挡。吐字间"咝咝"作响的齿音,颇像机器运作的金属摩擦声。多么怪异的晚上啊!男女生排排坐,听这样淫荡的自白,而没有人离开。简直挡不住他说,他越说越放肆,竟然还说到了"梦遗"一类的。他渐渐气馁,身体和脸又瘦缩下来,瘪了似的,终于,他收尾道:希望大家接受我的教训,我愿意做反面教材。他抬起头,出乎人们意外,竟是轻松的,他颇为舒畅地笑了一笑。他的笑脸因是不多见,就也显得不同寻常,几乎有一种明朗。笑过之后,又回复了木然的原状,没有人敢再看他一眼。第二天,他没有来,以后也没有来。大家不再提起他,就好像,这个人从没有存在过。不久,新找的手风琴手就来报到了。也是从小学钢琴,这时候,速成手风琴的,一个较为年幼的初中生。他完全不知道以前发生过的事情,说话行动都很随便。不晓得他来此之前的经历,他的学校是什么样的学校,曾加入过的宣传队又是什么样的宣传队。他言语中有一些全然陌生的措辞,不知何指,极令人茫然。人群就是这样,聚久了,便产生出内部的特定性语言,同一个字词里,也许是截然不同的含意,是由群体中的默契而定。这名新人既使大家感到新鲜,也感到不惯。有一日,排练中间,大家坐在地板上歇息聊天,此时,冬天已经过去,落地窗推开,初春的阳光洒满一地。他忽然指了郁晓秋说:我给你起个绰号。自从有过上回的事,人们,尤其是男生,对郁晓秋的态度都相当谨慎,以至于疏远,他这么一说,气氛陡地紧张起来。他自是不觉得,一径被自己的想象兴奋起来,从地板跳将起来,伸长手臂在空中大大地画一个弯势——就叫一个字:S。先是面面相觑,不知所云,停了一刻,忽就都明白过来,无端地,众人都红了脸。他立在那里,四下左右地看,不晓得为什么都不做声,以为不理解,还想作一番解释,不料郁晓秋扑上前去,照脸就是一个耳光。他的脸因挨打加恼怒,顿成猪肝色。他才不管什么男不与女斗的规矩,迎上去就要还手,被拖住了,只能张口开骂。骂出的话全不着边,什么"气焰嚣张","反扑革命",还有什么"美女毒蛇","糖衣炮弹"等等。看来这一记耳光确实吃得冤枉,他并不知道自己冒犯了什么,而且,他的孩子相全冒了出来。他被几个大男生按倒在地上,踢着腿,委屈与羞辱地哭起来,绝望道:被人打了耳光是万不能再做人了! 大家忍着笑又将他拖起来,笑他小小的人,脑子里污七八糟不知装了些什么。这边闹着,那边郁晓秋转身出去,噔噔地上楼,将自己的东西装进一个包,复又下楼,跑过走廊,出了少

125

体校。

少体校所在的这条背静的马路上，两边多是带花园的独幢小楼，院子里，围篱下，迎春花爆出一骨节一骨节的黄花，人行道上的梧桐树长出巴掌大的嫩叶。有三两个行人走在路上，看见这个头发毛茸茸的小姑娘从梧桐影里跑出来。因为全力奔跑，她的四肢和身躯舒展开来，舒展到每一节姿势都有一时停滞，停滞在空中。这小姑娘多么好看啊！这三两个路人想，禁不住回过头去再看一眼，想把这神奇的景象保存久一些。

这天，简直就像一报还一报，郁晓秋跑回家，上了楼，迎面看见母亲站在楼梯口，照脸给了她一巴掌。母亲从单位解除隔离回家已有多日，不晓得她到哪里去了，等得心焦，都想到她要有个三长两短也不活了这一层上去了。终于等到她回来，则是用一记耳光来欢迎。房间内，姐姐靠在床上，嘴里嚼着牛肉干，看一本书。她是早一日从医院回来的，这一日，则是母亲烧给她吃。郁晓秋一到家，东西未及放下，烧饭锅已塞到手里了。

此时,母亲歇下来,在窗前方桌边坐下,点起一支烟,慢慢吸一口。这些日子里,又有了点变故,三楼的房间被封,母亲搬下楼来,睡在哥哥的单人床上。母亲的头发早已没了电烫的痕迹,剪短了齐齐梳往耳后,穿了方领的蓝卡其布外衣,看上去就像一个新派的老妈子。只有从她擎烟的手势上,还看得出一个名优的气质,经历过摩登的开放的生活。

郁晓秋的自由生活,就此告一个段落,她担负起所有的家务,母亲认为这是管束她的最有力措施。现在剧团里既不演出,也不排练,上班只是学习开会,生活反倒比较正常。母亲早出暮归,晚上便是和两个女儿在一间前客堂度过。先是闷了几晚,不到八点便各自上床就寝,只有大女儿开一盏床头灯看书。书都是从她同学处借来,书脊上有公家藏书的标签编号,书页里爬行着针尖大的蠹虫。几晚下来,那一对母与女都感到了闷,可她们之间又是不惯于交谈的,总是训斥与被训斥,就更不知该如何打发时间了。后来,是郁晓秋向邻居女孩讨了些纱头来拆。这本是出于生计,向工厂称来棉纺编织物的碎料,拆成回丝,交回厂里,挣一些收入。但却成了孩子们喜爱的手工游戏,谁家中有纱头拆,就像有了宝,极大的面子才可讨得几片来拆。郁晓秋是以教授跳舞为条件交换来的。她坐在床沿,膝上铺一方手绢,用一只汽水瓶盖做工具,将一片棉织物拆成一缕缕。这略有些接近女红的劳动启发了母亲,她令女儿把纱头放下,端一张凳子到墙角落里,摞起的樟木箱跟前,站上去,打开顶上一只,将里面的衣物一件件取出来。她在底下接着,摊到床上,一床的绫罗。她一手托着另一手的肘弯,吸着烟,眼睛眯缝着透过烟雾打量,然后从中拎起一件,说,改件衬衫。

这是一件人造丝,月白底上蓝圆点的旗袍,短袖,下摆及小腿。虽然母亲身材丰腴,可因为剪裁合体,料就紧得很。这一母一女都没受过什么家教,从没沾过女工,谈不上裁剪的规矩,只是取一件短袖衬衫,来回反复地在旗袍上比,比来比去,无论如何也容纳不进去。后来终于想到,可将一件衬衫拆成多件零部件,横竖左右地嵌拼,就能凑成一件。于是又找出旧报纸,正反检查没有领袖政要像片的,依样画葫芦描下衬衫的各个部位:领,袖,前襟,后襟。头天晚上虽没什么成果,可却激发起她们极大的兴趣。待到报纸剪的样片填进旗袍的面积内,又用圆珠笔划好,就要拆线了。家中连一把小剪刀都找不到,日子其实过得粗得很。母亲是不做家务的,这个家先是在女佣人手里,后是在郁晓秋手里,中间又没什么交割,一段和一段接不上,是凑合着。最后找了个削铅笔的刀片,却是锋利得很,须格外小心。这一点,女儿要比母亲有能耐,母亲性子急手又重,没拆半行已割破几处,于是郁晓秋将拆工全揽下,母亲只在一边抽着烟看和批评。这一对母女难得这么安静融洽,这个家也难得像个家的样子,有了一点居家的闲情。等到所有的接缝全拆开,连贴边都拆了,为多争取一点布料,一件旗袍分为几张形状各异的裁片,就要下剪子了。这一回,轮到做母亲的上阵。她嘴角依然衔了烟,眼睛略斜,

躲开烟雾，将袖管卷一卷，操起剪刀，这把剪刀对于裁衣
又小了点。她咔嗞咔嗞一行过去，留下些锯齿状的剪
痕。几下子剪罢，将剪刀一扔，完事了。活计又回到女
儿手上，先从另一个墙角拖出缝纫机。这是一架价格不
菲的柜式缝纫机，专买给那个余姚女佣人用的，自她走
后，就没再碰过，上面放了茶盘饼干盒的杂物，都想不起
这是一架缝纫机。给轮盘上皮带亦费了功夫，是整个人
钻进底下去，用手硬掰上去的。这母女都有些蛮劲的。
坐下来，将大大小小抽屉拉开一看，原来什么都有。大
小剪子，划粉，大头针，各样的线和针。等到有一日，母
亲叫老大哥、她们称老娘舅的人一来，看她们这样没有
章法，略介绍了些剪裁缝纫的常识，她们才又大悟到，走
了多少弯路，费了不必要的周折。

老娘舅算是家中常客，虽有妻子和三个儿女，但从
不带家人上门，总是自己一个人。他和这家的儿女也不
大搭讪，只因为那个小的跟母亲多些，才多见几回面。
邻里们曾也猜测过郁晓秋是他所生，但又觉不像，因这

位粮油所的职工形容枯槁,衣着陈旧,与风流勾当沾不上边的样子。事实上,他当然也不是,否则,怎能如此不避讳地往来几十年?不过,这条后弄里的人也到底是眼界窄,根本想象不出这朽木一具的人是住在西区著名的公寓大楼里,蜡地钢窗,娘子不工作,专事相夫教子,困难时期,每月有包裹从香港寄来,里面是猪油,火腿,肥皂,白糖,豆油,听头鱼肉,还往这里接济。前段日子运动风声紧,都在各顾各,这时候略安稳些,便走动起来。他下一回来时,带来一本裁剪书,郁晓秋看了几页,便明白大半,第二件旗袍动手改时,顺利多了。于是欲罢不能。母亲正相反,一旦发现是如此简单,有章可循的一桩事,立即没了兴致,倒撒开了手。但她也不反对郁晓秋再接再厉,将这些华丽的箱底一件件改成家常衬衣。她不是个念旧的人,什么事情说放下就放下。她也喜欢家中有些声响动静,方才不感到厌气。

老娘舅本来不十分注意郁晓秋,也是他们之间关系的一种约定似的,与旁人无关,双方的子女家人都不介

131

入。因晓得他们其实无事,所以,他家娘子也容得他往这边跑,最多讥诮两句:又到某某某家去啦!他本来没注意过郁晓秋,又有一段日子没看见,这回见了,倒定睛看了几眼,背地与她母亲说:这只小小狗却是生在这时候好,太平!母亲听不懂了,说:明明乱世,你还说太平!老娘舅就说:乱世就乱世,无关乎风月。这一回,母亲半懂,停了一时,咬牙道:她敢!从此,就将旗袍又都收起来,统回箱底,不让郁晓秋继续改制。倘不是实在没法替她做替换衣服,就要连改好的也不让穿了。郁晓秋抓住夹缝里的时机,添了几件行头,又正到夏季,立即派上用处,穿上身来。那旧旗袍料,颜色尽管暗了,布质亦有些发脆,因迁就材料,布纹拼得又不对路,难免就要揪起着不服帖,可毕竟有颜色啊!一件月白底蓝圆点,一件绛红与墨绿浑花,一件毛蓝般的蓝里面交织着白,另有一件闪光缎,织锦似的金丝银缕。要在平时,大约不觉得,可这时候市面上不是蓝就是灰,就显出她花团锦簇。她将头发编成辫子,沿发际盘一圈,辫子上毛出来的碎发,茸茸的,像顶了杂花野草的冠。夏日的太阳,并没有把她晒得更黑,因她本来就不是白皙的那种。肤色在暑热中变得光润,也是由于发育,皮下开始滋生脂肪,使得水分充盈。她的双睑,长而上挑的眼线,曲度较深的唇线,越加分明,就像经过着意的刻画。现在,她除去家也无其他去处,只能与弄内的女孩结伴,在后弄里闲坐,或是在街上闲逛。在一伙差不多年龄的孩子中间,她显得格外触目。此时的闲人又很多,每个弄口似乎都有一堆,见她们走过,就用眼睛跟她,还为她起了个别号,叫作"猫眼"。这别号含了些不正经的狎玩的气味,可是别说,也挺像她。马路混子自有马路混子的才情。她自己并不知道,和着小伙伴招摇过市,嘴里嚼着廉价的烟纸店出售的腌梅,桃板。当街头搭建的舞台上有文艺宣传队的表演,她们就前呼后吆地在人堆里挤,非挤到台前好位置不可。台上的歌舞不知看过多少遍了,她曾经还在其中演过,可看来一点不觉腻烦,依然很激动。这种地方最容易浑水摸鱼,好在,她们人多,一个个很不好

惹,且又是似懂非懂,觉不出用心,反而不怕,别人倒不
敢把她们怎么。有一次,下雨天,她一个人到"雷允上"
中药房给姐姐配草药,竟有人尾随她一路。因是大白天
的闹市,她也不紧张,还很好奇,走一截就回头看,看那
人在不在了。走到人流特别熙攘的路段,再回头,只见
一片攒动的伞头,想那人终于放弃了,正要掉头走自己
的路,不料伞顶上升起一柄伞,升得极高,踮脚翘首的姿
态,原来就是那人,好像示意说:我在这里! 她弯下腰,
加紧脚步,小跑着到家,一路笑得直不起腰。所以老娘
舅说世道无关乎风月,也不全对,关乎还是关乎,不过旁
门左道的,不成气候。

　　这年的冬季,郁晓秋终于进中学。她们这班小学毕
业生,在社会上闲置了近一年半,就像方才被想起来似
的,突然升学了。按照所住地段划分的原则,郁晓秋进
了一所全市重点的高级中学。照以往的考试制度,像郁
晓秋他们这所民办小学的毕业生,可说无人进得去,更
何况学习成绩位居中游的郁晓秋。那校门无数次地走

过,也无数次地听那里边上下课铃声,广播操与眼保健操的音乐,但里面的生活却不可企及。更令她激动的是,她还和相邻那条公寓弄堂里的小朋友,做了同年级校友。上学第一天,她在校园里碰见了她,两人都把头一低,没有说话,擦肩过去了。最要好的人往往会是这样,一旦不好,比路人还陌生。此后,她们在学校,或者上学的路上,不知遇到多少次,全都是这样,头一低,走过去。但暗地里,其实都还注意对方。这小姑娘有了改变,活泼劲收起了,走路行动不再顾盼生辉的样子,而是低眉顺眼,表情沉寂。头发剪成齐耳,挑到一侧,发卡别住,脑门上不留一丝额发,朴素而且老气。大约是穿了母亲的衣服,那种蓝布的棉袄罩衣,大约又比母亲身量大,所以袖子嫌短,接上两截套袖。显然在这时日中经历了大变故,而变故中,她依然走着从小孩子到少女的路程。她身材苗条,小时的蛤蟆脸型开始往长和圆里走,脸色更加白皙,套袖的松紧袖口伸出的一双手,也是瓷器般的白。激烈的变故并没有完全涤荡好日子的积养,反因为情绪低沉而有了一种静谧的气质。

　　进了中学,其实也并没什么学业,但总需每日点个卯,郁晓秋也高兴。她从来合群,虽然遭际不尽是公平,可也有许多宽待。因天性里的热情,就惯会择善而行,所以一点不乖戾。坐在教室里,只不过听个拉线广播,广播里尽是无来由且无边际的训诫,可前后左右坐着同学,偶尔间说几句闲话,于她也是有趣的。还有些时,是将学生集中到礼堂里听教诲,一个班一个班鱼贯而入,转眼间坐成黑压压一片,嗡嗡营营,空气里满是少年人旺盛生长又来不及长熟的分泌物气味,烘热和生腥,但决不腻味。人多,无端地就兴奋起来,眼睛看来看去。暗沉沉的礼堂里也看不清什么,但只攒动的人头,就足够他们取乐子的了。再有一种乐子就是游行,都说不清来由地,排了队步行到人民广场上,四面都是飘动的红旗,锣鼓点处处,你演罢后我登场,此起彼落,带了比试的意思。还有舞蹈和歌咏。她们三五个人结伙,在各个学校的方阵间穿行,看谁家的歌舞好看。倘若有乡下人到这里，一定会当是庙会。天色向晚，再整队出广场，向各自学校回去。车辆全都停止运行，由了学生们灌满纵横街道，喊着口号。锣鼓队总是设在黄鱼车上，人流上的一个岛屿，漂浮着移动前去。还有一半游行是在夜间进行，一般都是有新的指示从中央上层往下传达，于是，事先就集合在操场里，等待指示下达，然后出发，有时会等到夜半。操场上的灯全亮着，底下是雀窝般吱吱喳喳的男女孩子，分别站成一簇簇的。这时节，男女生绝对不说话，真有些个造作，表示着彼此没有兴趣。可夜晚聚在一处，使他们都很开心，女生们搂头抱颈，男生们则用标语旗打来打去。你不能说这不是夜生活，是夜生活，就必有些风月，虽然是这样蒙昧不清的。可在这蒙昧不清里，分辨一下，也有路数。有一日，夜间游行，几个女生忽然对郁晓秋说，你晚上穿的和白天不一样！这一突然的指出似是没头没脑，但女生们的神情却很可玩味，怀着一股故意的嫌恶，有心要揭露和刺伤什么的。在他们十四五岁的年龄，女生多半比男生先懂一步，在长舌妇扎堆的市井中,已学成半个小妇人了。她们学也不要学,染就染上了这城市的晦涩气,且又似懂非懂地,将某种朦胧的情绪变成阴暗。她们的形象也有改变,一律显得年长,目光犀利,笑容意味深长。郁晓秋分辩说:你们看错了,白天我也穿这件,不相信,你们问她——她转身在周遭人群里寻找证人,证明她白天确是这一身。周围的人都沉默着,似乎很有兴趣看这一幕如何往下进行。郁晓秋的态度越发激烈:你们自己忘记了,白天我就穿这一身! 女生中为首的一个却淡然一笑;这么紧张做什么? 转过身去不理她了。郁晓秋也觉着自己的激动有些过分,可她真是很委屈呢! 她说不出,但是听得出她们话里有话,这话中话的意思,她既是糊涂的,又是熟悉的,似乎从小到大,就是浸润在这种暧昧的含义里。随她长大,这暧昧里面又注入了敌意。可是,就像方才说的,她惯会择善,天性趋向和暖的成分,填充心里的小世界。所以,气和急过去,她挺没记性的,并没有加点小心做人。她联合几个也是活跃好动的女生,向老师提议,成立腰鼓队。老师当然不会反对,由她们去罢了。

她们自己到学校后勤库房翻腾出仅剩的几件锣鼓钹铙。

如今学校的库房,早已去了锁,已经被搜罗得差不多,只

有灰尘和老鼠。她们将家什收拾干净,学着样练起来,

到底不会,才想到要有人教。找谁教呢?她们想到高年

级的,原先学校宣传队的那些队员。如今红卫兵运动偃

息,他们好比解甲归田,在家等待分配。她们决定去请

其中一位出山。

她们选定的这位是个初三的女生,所以选定她,是

因为她住在她们中间某个人的隔壁,她的兄弟正是与她

们同班。但这当然不是理由,相反,她们还要跳过他去

和他姐姐交涉的。当她们去到她家里,正与她兄弟擦肩

而过,彼此都作不认识。那姐姐原是红卫兵中某一派

的,并不在决策层,但因有唱歌的才能,便在宣传队里成

为骨干。她个头不高,黑黝黝的皮肤很光洁。曾有人称

她"黑牡丹",但却没有流行开,因她并不是那一型的。

那一型是哪一型呢?就是说,那一型当是妩媚的,而她

则有些硬。脸是略显四方,浓眉下一双睫毛同样浓密的眼睛,鼻梁挺细巧,弥补了不够高这一点,嘴型相比眼睛与脸庞,显得有些小,而且薄,但因唱起歌来动作夸张,就还是生动的。她闲在家里,无师自通地"咪呀吗"地练声,弄里人家都知道这里有个女高音。见这伙小女生来求,她自然要推挡一阵。先是说她不会腰鼓,那是舞蹈队的事情,后又让她们去找另一位队员,但另一位队员答不答应她也不敢保证。等她们已觉没希望,神情暗淡下来,她方才安慰道,或者哪一日去看看她们练习。问她究竟哪一日来,她又说不定了。过了两天,她突然来到她们练习的地方,礼堂里的舞台上。原来,她是让她弟弟通知她们的,可不是男女生不说话吗?所以,这大驾光临的通报便被吞下去没有了。她是自己循着鼓点声找去的,好在她也是熟门熟路,只是不高兴没有受到任何一点欢迎。不过,当小女生们看见她,又惊又喜的样子,又大大地安慰了她。她纠正了她们系腰鼓的方式,教授了基本的鼓点,让她们先不要带动作,只是站定了练。这时她们方才知道原先错到什么地方去了,于是加倍认真地练,要将白费的功夫补回来。鼓点渐齐,刷啦啦地,有了气氛。舞台上的大幕和幕条早已扯下来,不知到哪里去了,变成一个巨大的洞穴,礼堂也变得大和暗,门里进来些走廊上的幽微的光,很不确定地,随日光转移,便泯灭了。击鼓声激起回声,将声量放大并且延长,变得激越。

练了一阵子,这位教练提出两个需要解决的问题,一是人太少,二是顶好有男生来打大镲。这打大镲是带有指挥的意思,要特别的人材,经过训练,方能担任。她们面面相觑一会,迟疑地说找些人来还容易,但腰鼓到哪里去找呢?至于男生,她们就更不知道该找谁了。初三的女生就笑了,说腰鼓的事顶顶容易不过了,包在她身上,至于男生,她略为难一时,说或者她教教她弟弟。过了些天,她们又联络了十数人来,腰鼓果然是一桩不足挂齿的事,初三女生带她们去这学校提几个,去那学校提几个,有一次,是到某个人家中,走上一架笔陡的楼梯,一间只能站下两三个人的屋子里,从床底下拖出四五面鼓。但男生却还未有来报到的,那位弟弟对此建议听也不要听,想想也是,他要来这里打大镲,还怎么到男生淘里做人呢? 这提议本身就是个羞辱似的。这年龄的男生是对女生有恨意的,从此,更加远开她们这伙了。最后,郁晓秋说,她来打镲,她一定努力学习。事到如今,也无他法。初三女生又带了个同学来教,她自己则专门带郁晓秋打镲。她很惊叹郁晓秋的聪明,郁晓秋也感激她教自己和教大家,两人倒成了朋友。这时候,她们这支腰鼓队从礼堂练到操场上,引来人们观看。游行队伍中,她们在前面开道,郁晓秋又在她们前面领队。她手持两面大镲,举起来,一挺腰,当空碰响,鼓声随之而起。行进一阵,再一举手,一挺腰,镲开花空中,鼓点就换了节拍。行人拥在路边,看她们龙飞凤舞地过去,有认出她的,便喊:猫眼,猫眼! 她已经走过去,留下一个红绸翻滚中的背影。

现在,郁晓秋又成了学校里的名人,人人都知道她。

即便不知道"郁晓秋",也知道"猫眼"。这个为街头闲杂所起、带有狎昵气的别号,小孩子不觉有什么,在成年且有某种经验的男子听来,不免就要想入非非。照理校园里是清静的,高年级的学生又都不来,只剩下新近进校的一二届初中生,男生们还未脱孩子形呢。然而,这时节的学校,却多了又一种人,就是工宣队。那是来自大杨浦某家机器铸造厂的工人,他们进驻到这家位于市中心区的学校,眼界大开。上海向他们展开都市的丰姿,虽然已经是这样萧条的市容,对于生活在城市边缘,同机器打交道的这些汉子来说,却是足够旖旎和繁荣的了。他们每日从他们所住的区域出来,乘上公共汽车,眼见得街道越窄,楼房越高,商店越密,街上走的人呢,似乎越悠闲。其实那不是悠闲,是一种享受与沉湎的表情,俗世中的人生面孔。令这些产业工人既觉颓废,又心生艳羡。他们就好像一直置身于革命中,劳动和生存都是质朴的,没有虚饰。乐趣也是简单的乐趣,诸如酒肉和男女。而在此他们所见到的人世却正相反,如此汹涌澎湃的革命,也没有洗涤那种近乎奢靡的生活气息。连这些出入于校园的小小孩子,都有着膏粱华腴风范,又可恶却又迷人。平心而论,他们都是老实人,靠力气和技能吃饭,倘不是时运推他们上政治舞台,就将是做多少,吃多少地终其一生。可现在,情形却不同了,就像方才说的,他们眼界开了。

他们很快就注意到这个外号为"猫眼"的女生,她触动了他们简单的欲念。这种简单的欲念多是来自车间里裸露而天真的男女关系,带有极强的肉体成分,是健康和粗鲁的劳动的产物。这生活在城市中心的女孩子,在她充沛的生气之上,有着一种表面性质,正与他们所了解的肉感不谋而合。在操场上观看腰鼓队操练的人们中间,就有他们默默注视的眼睛。他们当然不会莽撞到像那弹钢琴的,直逼逼盯着她的屁股看,他们在男女关系上,有着他们的世故经验。而且,在人家的世界里——无论世道如何改变,他们都不曾将这里视作是自己的,不仅是自谦,也还有些自傲,于是——在人家的世界里,他们究竟不明就里,不知原先的准则适不适用。其实,多少有些无以措手足。那女生在他们的余光里举手投足,一颦一笑,衣裙里的曲线,颊上的笑靥,何等的撩人。"猫眼"这别名,也何等的名副其实。这又是这地方的一桩妙处,能有这等机智。在游行的队伍里,他们很有些可笑地,走在她的左右,像是护从似的,她手里的大镲震得他们耳朵疼,也不觉着,只是难捺的兴奋。以他们领导层的身份,并不适宜接近她这样的女生。在他们周围,都是各营、连、排的头。此时,学校已经军事化,年级为营,班级为连,再分作排。这些从营、连,或排推举选拔出来的学生干部,出身清白,作风朴素,政治上有追求,与他们是同一阶级阵营里的成员。他们早晚召集开会,学习各项报告,没事时还聊天玩笑,相处甚密。郁晓秋她显然不能是其中的一个,甚至,从某种方面说,她是他们需要整肃的对象。他们从师生处听来有关她家庭身世的情况,多少经过了添枝加叶,这样,她就更染上了旧时代的暗影。这些故事,在他们听来,实在离奇得很,这也是个离奇的女人。他们用"女人"两个字称她,勿管她仅只有十五岁。他们那个群体,也并非就这么纯粹,也是有一些藏污纳垢的。其中有个中年铸模工,从小学生意,有一手好技术,这一行里吃香得很,几个老板竞价抢他,所以也过了一段声色犬马的日子。但因一生做工,就算进工人阶层。他身材魁伟,成日将一件旧棉大衣披在肩上,嘴里衔一只骨质烟嘴,烟嘴已呈玉黄色,有了些年头。他宽平的脸上,两只蒙古人种的细眼,不动声色地扫视着眼前的一切。他们有时值夜班就住在学校,几个工友聚着喝酒。酒后总是多话的,他便教唆几名青工,提示他们注意那"女人"的眼睛,说这种眼睛他熟悉得很,一看就知道是什么样的女人。什么样的? 他不说,神秘地眨眨眼,留下悬念。

在此期间,腰鼓队的风头更健了,学校决定亲自着手整顿管理,带有收编的意思,队员们自然欢欣鼓舞。第一次正式召开的会议上,宣布的名单里却没有郁晓秋的名字,开始并不介意,只当是腰鼓手的名单,而她,不是打大镲的吗？也有人提给念名单的老师,老师又支吾过去了。所以,第二次开会,郁晓秋照旧去了。不料,会上宣布了两名新来的大镲,两名男生,绷着脸,坐于一隅,十分不情愿又尴尬的样子。郁晓秋方才晓得没自己的份了,却不知道因为何故。去问老师,老师忙得不可开交,边上两个工宣队员,眼睛看着天,叫人不敢搭话。她一个人走回家去,因是受不平惯了的,就也不去深究内里的道理。近晚时,腰鼓队几个要好的伙伴来找,她正在水斗洗菜淘米。女孩们就立在水斗边,凑了耳朵告诉,是因为家庭的情况,所以不要她。这样一说,她反倒释怀,因不是本人的错处。这时节的情形都是如此,不知哪一节就株连上了。然而,不久,又有一件事,再次打击了她。

这年正临建国二十周年大庆,早在四五月间就开始筹划盛大的游行,他们学校被分配到彩球翻字的方队,所需人数甚众。凡女生身高一米六十以上,男生一米七十以上,都要参加。可是,还是没有郁晓秋。令人起疑

的是,与她同样,条件及格而不在游行名单之列的几名

男生女生,都是有不良行为记录的。男生如打群架斗殴

和盗窃,女生则是作风有失检点。这一回,郁晓秋不能

服气了。她找班主任问,班主任推给工宣队,几个要好

的女生陪着她,就去找工宣队了。工宣队的师傅们,看

着她,听她说话,表情很奇怪,像是在欣赏她,又像是讥

诮她,要看她笑话。她最后说道:我不是一定要参加游

行,但我要搞清楚事情。师傅中的一个就笑起来,说:这

态度很好,我们欢迎这态度。她不由糊涂了:什么态度?

师傅说:把事情搞清楚的态度。师傅们都说江北话,话

音很生硬,又带有谐谑的语态,令人摸不着头脑。师傅

接着说:你可以说,要是不方便说,这里有纸,也有笔,你

就写。郁晓秋听出话里的意思了,涨红了脸:我没什么

可说的。师傅忽然诌出一句文的:若要人不知,除非己

莫为。郁晓秋不顾身后女友们拉她,上前大声地说:那

么你就说出来好了! 可是师傅们不再理她了。女友们

终于将她拖出办公室,劝她不可冲撞工宣队,否则要吃

亏的。郁晓秋在女友们的簇拥下，哭着走下楼，走出学校，一径哭回家。女友们安慰了一阵，到底无法安慰妥，只好作罢，各自回去了。郁晓秋一个人又哭了很久，临到烧晚饭，才站起身去舀米，却还抽噎不止。倚在床栏看书的姐姐，只当看不见，并不问她原故，更不会去劝。等母亲下班回来，看见她哭肿的眼睛，就不肯放过了，饭也不吃，非要她说出个究竟。她哪里说得清楚，什么和什么都接不上，只觉得气闷和气急，又要哭。哭着说着，全是不相干的枝节，加上害怕母亲发怒，心里胆怯，更说不连气。母亲听了一时，截住她说：吃饭！方才结束。

　　第二天一早，母亲照常去上班，路上却转了个方向，进了她学校。沿走廊一排教室，都像蜂窝一般，嗡嗡营营，有一个声嘶力竭的声音在念着什么，一字听不清。她心想：这叫读书？叫现世！走了过去。尽头一间办公室，里面坐几个穿棉大衣、戴红袖章的男人，她进去问，哪一位是负责的，就有一个说他是。她自己拉开一张椅子坐下，口袋里摸出香烟，自顾自点上，然后开门见山，是谁谁谁的家长,听说小孩子在学校不大争气,小孩子不好总归是大人不好,她就主动前来领受教诲。那几个沉默了一刻,他们没想到传说中风流的女演员竟然是这样,怎么说呢,这样的泼辣,她抽烟的姿势就像一个潇洒的男人。他们一时不知如何应对,她就等着,等他们开口,令他们感觉到逼迫。那位自认为有所历见的负责人,咳了几声,说:我们要共同对同学加强教育。她态度颇为恳切地问:教育她什么呢? 负责人迟疑了一时,回答:教育她艰苦朴素。她哪一点不朴素呢? 女演员越发恳切地问。她的穿着,负责人说。哦! 她恍然悟道。她的眼睛一直在面前几张脸上逡巡,她是什么样的阅历? 她能看不懂他们的心思? 心里冷笑,面上却依然诚恳着。比如说呢? 她问。负责人多少有些放松,说话便流利了,眼睛里放出光来。比如说,她时常穿一件派克大衣——是风雪大衣,我下乡劳动时候穿,穿下来给她的,女演员承认——帽子和袖口都镶了皮毛——人造毛,女演员又略修正一下。还有,负责人宽平的颧骨上浮起红晕,她穿的一条毛料裤,裤管大得像两面旗。是条男式裤,她哥哥穿小了给她的,女演员也承认。这些衣着很招摇啊! 你不晓得,你女儿走过去,人家的眼睛就一路跟过去,她十五岁的人,看上去倒有二十五岁! 她看住这位负责人的眼睛,使他感到了局促,这也在某种程度上刺激了他,他态度变得强硬,扬起声调说:有些反映,你女儿可能与社会上的某些人也有联系。什么人呢? 她问。负责人暧昧地一笑,并不正面作答,而是说:你知道,她在社会上有个绰号,叫"猫眼"。女演员的脸有些红,但依然镇静着。她将手中的烟蒂在办公桌上一个覆倒权充烟缸的茶杯盖里按熄,说:这就是你们学校的失职了,应该尽快去查,查明了好尽快处理,倘查不明,就什么也不能作数了,是不是? 她莞尔一笑,笑里依稀有往昔的风韵,是一种冰霜利剑式的凛冽的风韵。负责人说:我们会查的! 话是强硬的,但实际上已经被牵着走了。她立起身来:要查不出来东西,你们就要澄清事实,到那一天,要通知我们家长啊! 她提起放在桌面上的包,忽然想起什么,从包中取出一个红袖章,套到臂上,又是一笑:差点忘了。转身向门外走,因是课间休息,门口围着些学生,自动让开路,让她出去。屋里人只是发呆。

这天傍晚,母亲下班回到家中,对了郁晓秋说,以后再不许穿那件风雪大衣和毛料裤,说完劈脸一个巴掌上去。这一记巴掌忽然间扇起了她的怒气,就又连着几下。郁晓秋也不躲,只是由她打。她早已习惯这种突发性的怒气,也晓得来得快,去得也快。可是,这天却与往日有些不同,她哥哥在家。她哥哥已从一家中等专科学校毕业,在设计院里做绘图员。他形貌与先前又有改变,中式驼毛棉袄,外套的确良深铁灰罩衫,浅灰啥味呢长裤,黑色牛皮鞋,头发梳得整齐服帖,很有几分他父亲当年在印书馆上班的样子。他依然住在外头,从学校宿舍搬到设计院宿舍,偶尔回来一次,多是来翻箱底,找几件父亲留下的旧衣物。父亲当年戴过的欧米茄表,现就戴在他腕上。与这个家庭划清界限的誓言,他不提,母亲自然更不会提。她与这儿子不亲,可内心底却总还是依赖他,所以便怕他。大约也是要做给这儿子看,看什么却并不清楚,她又多打了郁晓秋几下。好像也是要帮母亲什么,帮什么又是不清楚,她哥哥也上来了。同小时候一样,他出手很节省,眼睛不看,头也不回,突地就是一下。他的暴戾与冷酷其时已经种下恶果,会叫他付出半世的代价,这且是后话了。这一回,他用的是脚,朝后勾的,一下子送进郁晓秋怀里,郁晓秋刚要"噢"出一声,身后却响起一声尖叫,她惊一跳,没"噢"出来,反吃进去了。回过头去,看见一直倚着看书的姐姐坐直了身子,书本摊在膝上,两只眼睛里满是惊恐,她颇感意外,没觉着疼,可腿已经跪下去,人蜷起来。母亲晓得这下子打重了,心里急气,结果是朝了她低下的头顶又给了几下,这场家训方才结束。

4 ....

豆 棚 篱 落 野 花 妖

——摘自明散曲《花影集》（子野）

前面说的那初三女生的,和郁晓秋同班的弟弟,叫何民伟,下乡劳动时,任司务长,底下有一男二女,三个伙头军,其中一个就是郁晓秋。为了表示他们不偷懒,这三个人是轮值,每天留一个,同何民伟搭班烧饭,其余两个和连队其他人一并下地劳动。此时正值秋收秋种,要抢农时,活计挺重的。但毕竟人多地少,在城里做工的男人又都请了农忙假回家,所以不缺劳力,还嫌上海学生仔踩坏了田畈。棉秆拔不起来,就折断了应付,洗衣服将河泥搅起来,弄浑了水,有不慎落下水去的还要捞他起来,拿出家中棉被捂了他发汗,平添多种忙乱。上海郊区的农民多是富庶的,三抢时分,一日要吃六餐,蒸肉,煎鱼,裹圆子,摊油饼,像过年。而上海学生仔,每日三餐是青菜或者卷心菜,早上过粥的红腐乳,前一夜割皮蛋样一块割成四份。他们中的一半住在某家空出的旧屋里边,这家为婆媳妇刚起了新屋,旧屋本是要拆,还回队里宅基地,这时就暂缓,住进女生,灶头还在,正好烧饭。另一半男生,住在队里的仓库,要过两领石板桥,走一些路,荒僻一些。说是荒僻,也就是不像这边人家稠密,而是临了路和田。事前,乡人们就挑来稻草,垫起尺半厚的地铺,等他们展开铺盖,睡过夜,就平下去贴了地面。手伸进垫被,都是湿的,心里就喊"作孽"。

他们自己倒不觉得苦,因为新鲜。大家聚在一处起居,乡间又有许多未曾见识的事和物,隔壁的新娘子早上端了木盆去河边洗衣服,后边也要跟一伙女生。做活计,人家并不指靠他们,他们也趁机溜开去玩耍,被褥潮一些更是无妨,他们都是打通腿的,铺盖合在一处,人挤人,挺有火力。对伙食,也并不像乡人们那样的觉着不堪,相反,他们很满意。这几个伙头军很卖力,他们殚精竭虑,要将有限的伙食费用好。他们向队里买来第一批稻谷打下的新米,在青菜里加大量的酱油,煮得酥烂,合乎少年人味重的口味。锅底的锅巴小心地铲下来,盛在篮里,第二天早上放进粥里一并煮,特别能煮出量来,可弥补新米不出饭的缺口。这样吃了几日,却把大家吃得馋起来。先是有调皮的男生开始抢锅巴吃,不让抢,便在夜里潜进来偷。他们几个护卫着一篮锅巴,在灶房跟前转,石板桥上走过去走过来,找不到一个安全的地方。最后,由郁晓秋去和房东商量,放在她家里,条件是她们女生的马桶,必须要倒在她家的粪坑。锅巴安顿了,却又有一件东西受到危险,就是酱油。不晓得是谁兴出来的,在早晨的粥里面拌酱油,可加强口味,效果不错。于是,竞相效仿,酱油的消耗极速。连老师都无法控制。商量下来,总结出原因,是缺油水,急需改善一下伙食。将那几个钱算过来算过去,仅够给大家吃一次大饼油条,便决定第二日,两人留下烧早饭,两人去镇上买大饼油条。

天漆黑着,鸡都未啼,何民伟已经在门外叫郁晓秋的名字。因他有老师借给的一块表,说好由他来叫。怕把人吵起,只敢压着声音,隔一时叫一声。那声音是男孩子变完声不久,又粗又重的声音,很鲁拙的,硬要低下来,就发闷。郁晓秋早已经听见,正摸着黑穿衣服,找鞋袜。也是怕吵起人,所以不敢应他。好在她向来行动利

索,很快穿妥了衣服。只听柴爿门嘎一响,人已经出来
了。那人出得门来,不由地打了个寒噤,天还在下霜,简
直像一场冻雨。两人的手脚和脸都是木的,身上的衣服
似乎只是一层纸,牙齿咯咯地响。两人一前一后上了
桥,桥面结了冰,很滑,可两人脚步都是轻捷的,又怕冷,
不点地似地走过去。其中一人提一个巨大的盛稻米用
的篮,不是重,而是磕碰腿弯,妨碍走路。于是,过了桥,
另一个便过去,提起襻的另一边。一左一右提着,穿过
民房,又走过一片打谷的空地,便到了路上。

　　他们要去的镇,叫作陈水桥镇,离所在村庄有二十
四里路。假定每小时走十里,他们就要走两小时二十几
分钟,来回加买油条大饼所需时间,至少五个小时,早饭
七时半开,所以,这时候是凌晨二时半光景。路上连鬼
影都没一个呢! 这两人的脚步声显得很响亮。他们男
女生界限还未打破,虽然下乡劳动,朝夕相处,彼此严防
密守的姿态略微松弛下来,可毕竟没到自由交谈的程
度。所以,两人都不说话。下半夜的月光很清亮,将两

人的影子描画得十分清楚，两人都害羞看自己的影子，因为看了自己的影子就也会看见那一个的影子，似乎有着对看的意思在里面了。所以就都微微地扭着头。郁晓秋曾经在少体校宣传队里呆过半年，宣传队的风气比较开放，男生多是年长的，在红卫兵运动中历练过，在社会上也历练过，就更为老成，也有男性气质。要说，她是应该有和男生接触的经验。但是，面对这些稚气未脱的小男生，防贼样地防她们，她不由也拘谨起来。这个年龄的男生，其实很难进入同龄女生的视野，他们形容还是孩子，却故作大人，使得他们一律都显得很闷，毫无风趣可言。郁晓秋倒也不嫌他们，甚至觉着他们自有一番可爱。这多少是有些站在高处看的意思，是真将他们当比自己年幼的孩子。因此，在接触时，她会主动一些，使男生们觉着与她交道起来，比较自如。

不过，何民伟这个男生，似乎又要比一般男生更拘谨一点，也许这不叫拘谨，而是严肃。这种严肃的神情与他的外表不怎么相投，因他是较矮的个头，比郁晓秋要矮，身体倒挺结实。五官与他姐姐很像，宽额方腮，浓眉，大眼睛，在男孩子的身上，就属虎头虎脑一类的，更有孩子气了。倘若学校有着正常的学业的话，他会是班里的优等生，这从他对职务的负责态度里就可看出。他的伙食账记得极清楚，虽然只是些青菜豆腐的开销，可每一日，每一笔，都工整地写下，每日都要计算一次总账，写下余额。钱被他一张一张理平，放进一个牛皮纸信封，装在他贴身的衬衫口袋里。由于他格外郑重的表情，一点不令人有婆婆妈妈的印象。他身为司务长，有些事情吩咐底下人做就可以了，可他事必躬亲。他检查扔掉的青菜叶子，将不够老和黄的重又拾回来。油瓶上划了刻度，每一顿都必遵守定量。他真是像个吝啬的管家婆，可你只要亲眼见他做这些的样子，立刻就会打消这个念头，因为他完全不像是在做着琐碎的柴米油盐事务，而是在实验室里做实验，这实验关乎科技兴亡。他显然不是家务的里手，做什么不是笨，而是不像，这就将他与管家婆区分开来了。

他们已经走了有一小时,表面上的荧光针,长针绕了一圈,又回到原地。月亮移了位置,天依然黑,满天的星斗几乎盖在头顶。他们在城市里长大,没有看见过如此广大的天空,把世界罩在了里面。身上早已暖和,脚也不觉酸,只觉轻快。路上偶尔有一辆自行车飞驶过去,那种二十八英寸的,可载重物,农人爱用的车,驶过去的"嗖"的一声,很有力度。路的尽头,有很弱很弱的一点光,晨曦将起。前面隐约有个人影,越来越清晰,是个挑担人,迎了面问他:陈水桥镇还有多远? 他回答:十里! 一听已走过一半多,两人就都兴奋起来,互相说:并不很远! 就这么,不知觉中说起话来。他们谁也没去过陈水桥镇,听乡人们说起来,那是个繁荣的集镇,于是便猜测点心铺是在什么位置上,镇头,镇尾,还是镇中间。然后再将人头点一遍,惟恐有遗漏。一开始,他们还谨慎地一个只报男生,一个只报女生,慢慢就报混了,一个也报出女生来,一个也报出男生来。原来虽然平素里男女生不相往来,可彼此都挺熟的。天有了薄亮,路上的气氛变得活跃。背后驶来隆隆的拖拉机,上面的人嫌他们挡了道,骂他们:两个小浮尸! 他们气得回骂,骂声淹没在马达声里,自己都听不见。最后的一段路就有些艰难,问人,人都说在前边,可就是不到。后来,终于到了,才发现陈水桥镇并不如他们想的大和店铺密集,只是一条直街,街上亮了几盏昏昏的路灯,其中一盏底下便架了油条锅。他们来不及打量这镇的面貌,直奔而去。镇上人大约还在睡觉,时间好像倒了回去,夜又深了。路边有人窸窣收捡着什么,一团模糊的人影,身上映了些幽暗的火光。是一家老虎灶,灶下排一列竹壳热水瓶。那人直起腰,往灶口扔去几块黑亮的东西,才知他是在拾遗落下的煤核。油条锅上架的铁网里,已经站了有十数根油条,锅里滚着四五根。就像此地的人和上海的人相比,这里的油条也要瘦和黑一些。他们等了有二十分钟,便够了他们要的数,新一炉大饼也烘熟了,加上前一炉的,也够数了。装好了,再一左一右提着,往回去。这一回可是有分量了,手上脚上都吃重不少。他们闷头走一阵,决定掉了位置好换左右手,转身时看见了陈水桥镇。晨曦中,绰约立一座石桥,桥边有房屋,褐色的板壁,黑瓦棱,静静地立着,几盏灯黄黄地照。两人一时都呆立着,敞开的天地在瞬间仿佛收拢了,收拢在这一帧小画四周。他们停了一时,才又提起篮襻,向回赶去。

终于走回村庄,走过最后一领桥。太阳已经起来,黄灿灿地照着那一座老屋的泥墙,将墙上的泥粒、草茎照得毛茸茸的。男女生都聚在灶屋前,见他们来,无论男女都喊叫起来。他们几乎走不到灶房跟前,站在桥头便分发起来。其时,住大队部的一名工宣队员忽然骑车来这里巡察,也领去一副。这样,采买的两个人就只能共吃一份,将大饼分开两半,油条也拆成两根。油条大饼都已冷透了,可总是有一点油香,算是添了油水。

三个星期的劳动过到下半段,就是一日一日数地过去。近收尾时来一场寒流,暴冷的天,男女生都聚在灶台那一间屋里,关上门,将灶烧得通红。烧出的开水,灌满自己的热水瓶,又灌满房东家里的,然后再冲进热水

袋和盐水瓶,暖手。风在门外肆虐地吹,这间旧屋哪里
都透风,一个个蜷缩成一团。老师给大家念报纸,又让
一起讨论,说是讨论,其实就是闲扯。所扯大多围绕着
吃,有说他母亲做的香肚无比好吃,有说他外婆的冰糖
蹄髈更好吃。还有说咸肉菜饭好吃,尤其是接近锅底的
一层,第二日要用油炒了吃。就有人说红烧肉亦是要吃
到第二第三日才更好吃。所想念的吃食统是浓油赤酱,
可见都已熬苦。村庄头上,临了公路,有一爿供销社,里
边的硬糖,还有一种粗黑的饼干,都是销给他们的。那
里边站着的青年,读过初中,对他们上海来的学生,怀有
复杂的心情。他多少有些幸灾乐祸地,看他们一日一日
的黑、瘦、馋、衣着邋遢。他卖给他们这些吃的,总是以
讥诮甚至凌辱的态度。因他们大多囊中羞涩,糖是论粒
买,饼干论两称。他很恶作剧地,事先一斤一斤封好,以
斤为单位出售。然后,饶有兴致地看他们左吆右唤凑拢
人头,又凑拢钱数,买下一封或者一包,当即拆开,一五
一十地分配起来。其时,郁晓秋同何民伟又去过陈水桥

镇一趟，是中午出发，去买猪油。他们新想出一种食谱，猪油加盐拌热饭，炼下的油渣，煮进青菜，又做了一味荤。他们走到村头，上了路，看见路上有车驶过，便起念拦车。拦了一会儿，没拦下，刚要开路，身后却有声音说：再等一歇，肯定有车让你们搭。回头见是那青年，立在供销社柜台里，就问他为什么？他笑着说：看你们是上海人呀！和这青年隐晦的方式不同，乡人们是直率而粗鲁地向他们表示嫌弃。他们当着这些孩子的面，议论他们种种不是，以为他们听不懂乡音，抑或是听得懂也不要紧，就让他们听去。房东家的女人，专横地垄断着女生们的马桶。有几回，马桶满了，女孩子去邻家用马桶，竟遭到谩骂。

　　这一场寒流带有横扫的意思，将他们最后一点耐心打击了。他们变得焦虑不安，队里派给的活儿没有心思做，将人家的地和收成都糟蹋了。亦有那些顾家的女生，忙于同农人们交易，买花生，芝麻，黄豆一类的土产，好带回家中备年货。于是引来农人上门兜售，兜售的范

围扩大到鸡、鸭一类的活物。还真有人买下来,暂寄养
在卖主家中,然后每日去探望几回,防止其它的禽类与
这一只争食。总之,都急着要走,已无过日子的长性。
末了的两天,老师和工宣队集中到大队部去开紧急会
议,这里便彻底陷入无政府状态。先是男生们冲进灶台
里抢锅巴,用力过猛,锅铲捣穿了锅。本是一口旧锅,可
农人向来对锅很尊敬,认作衣食的象征,于是房东家的
男人都出来骂,骂他们"小浮尸",这边再一并回骂。房
东家人少,又觉着他们总归是孩子,不能一般见识,便退
了回去。这边大受鼓舞,敲着饭盒庆祝。可到了下半
天,几个伙头军就为难了,这一口锅,烧水煮饭炒菜全指
望它,如今怎么办? 他们几个将锅抬到屋外,倒扣在地,
研究如何补锅,这才发现真比女娲补天还难。何民伟在
家里焊过无线电零件,决定去找焊铁来焊,那几个就着
手铲锅底的灰。不料,房东又出来骂"小浮尸",怪他们
铲锅灰不挪锅,铲下的灰形成一个圈,是让阎王殿上的
小鬼拖人去钻。何民伟则空手而归,也不知是农家没有

焊铁,还是不肯借他。总之,他们在村里已经没有一点人缘。后来,还是那新嫁娘悄悄借出一口锅给他们用,刚做新人,心情总是柔和的。她公婆只作不看见,总归不能真叫"小浮尸"饿肚皮。乡里人最重吃饭,有言道:老天不打吃饭人,他们小小庶民,岂能口边夺食?

这天晚黑了,班主任才从队部回来,当下召了干部开会,第二天一早再全体开会。可夜间大家都已知道,不能回上海了。上海正在备战,疏散人口,如他们这些已经离开市区的学生,便就地革命。这一夜是闹腾过来的,女生宿舍有人带头一哭,其余人就都跟上来。男生那边,则立即打好背包,等天明立即跑回家。老师与几名学生干部,连长排长什么的,打了电筒,从这边走到那边,安抚众人。其中亦有何民伟,因是司务长。他和男生干部,掩在老师和女生干部身后,不敢朝女生宿舍里望,余光里瞥见,一片哭得东倒西歪的女生中间,只有郁晓秋不哭,身子直直地坐在被窝里,表情茫然地看着周围的情形,难以理解的样子。梁上悬了一个裸着的灯泡,白天黑洞洞的房间此时通明,壁上的蛛网都尽入眼帘。这晚上,直到下半夜方才安泰,哭的不哭了,要走的重新解开背包睡下了。第二日,太阳已经老高,都还不起来,赖在被窝里。班主任带了连长排长又去队部汇报,几名伙头军煮好早粥,等着来打饭。平时最是热闹踊跃的时刻,此时却无一人来到。各去住处喊了几遍,亦无人应。一锅粥热了几回,已成糨糊,中午饭时间却到了。将粥舀进洗脸盆里,再烧干饭和炒菜,依然没有人来,显然是以绝食明志,表示要回家的决心。这几个人也没力气了,坐在太阳地里,愁烦地看着前边,菜园子里的藤蔓枯了,筋筋襻襻地挂在一截短篱上。寒流过去,气温已回升,又是江南的暖日天气,草木却已染了入冬的霜色。班主任和连长排长还未回来,伙头军中有两个坚持不下去,各自进屋重新睡觉,余下何民伟和郁晓秋依然守着,太阳晒在顶和背上,干和热。呆坐一时,郁晓秋忽地站起,问:晚饭怎么吃? 何民伟不由惊讶了,想早一顿、午一顿还没动一动,怎么又想晚一顿了? 看她

眼睛亮亮的,分明已经有主意。她也没解释,进灶屋拖
个大篮子出来,就是买油条的那篮子,要他跟了走。何
民伟茫茫然地随在身后,看了郁晓秋跃动的背影。穿了
旧蓝布棉袄罩衫,中式立领上翻出色彩鲜艳的衬衫领
子,两根毛茸茸的辫子很结实地打在肩膀上。这上海女
生通常的装束,在她身上却有点乡气,像个村姑,活泼的
村姑。她的一双黑布鞋是中间襻,带气孔,系带的那种,
一双脚显得挺妩媚。她很善于在田埂上行走,腾腾地走
到一块田里。这是一块山芋地,地整成垄,有那么七八
行。山芋已刨净,藤也拉净,堆在垄间,等着分给农户喂
猪,郁晓秋在一堆山芋藤前跪下来,双手在藤间迅速地
掏着,回过头叫何民伟也去。这一幅情景可以入画,西
去的太阳光变黄了,她发辫上的碎发全染了金,烁烁地
闪。她的眸子也是金的,像异族人一样。她喊了一声又
掉回头去,专心在藤间掏,掏出了什么,往篮子里连连地
扔。原来是手指头细的山芋,残留藤上的。她翻着藤,
拉出有山芋的,叫何民伟快捋。自己又到另一堆藤里去

翻。有人从地头经过,又以为他们糟蹋地,就跺脚骂:小浮尸,作什么孽!他们爬起来,一左一右提了篮子跑,跑出这块地,又到了那块地。城市郊区的地零散得很,尤其是种这类杂粮和副食,都是在地角地边。他们飞快地跑在田埂上,身后不时传来"小浮尸"的叫骂。有几次,他们中的一个从田埂上滑下去,踩在抽干水、割完稻的稻茬地里,还没站住脚,又被另一头的篮襻拖起来了。郁晓秋跑得真叫欢,几乎要飞起来的样子。何民伟不晓得人家搞过体育,单觉着这女生同其他女生两样,不矫情。他们很快就对这侵袭和逃跑的游戏热情高涨,他们惊乍着蹲下爬起,跨过地垄,在网状的纵横交错的田埂上奔跑。篮子越来越重,终于跑不动了,这才立定。弯腰喘一阵,又笑一阵,然后得胜回朝。这晚上,是将中午的干饭用油盐炒了,再将山芋头煮进早晨的稀饭里,然后端进屋,送到各人手中。先上干的,再上稀的。人们就坐在被窝里吃,开始还是拒斥的嘴脸,很快,禁不住肚饥和油香吸引,狼吞虎咽起来,结束了这一日的抵抗运动。

　　乡间的落魄的生活又继续下去,不知道什么时候才是头。学校研究决定,每个连队委派一名学生去上海收伙食账。他们连,自然就由司务长何民伟跑这趟差了。每个人,无论男生女生,都写了家书托他捎带,还有那些早就买下的土产品,也托给他捎去家中。他的行李就变得很繁重而且啰嗦,肩上负两个旅行袋,用绳子系了,一前一后搭着,手上各是一只缚了脚倒悬的鸡。有一只鸭被砻糠噎死了,否则就还多一只鸭。大家拥着他,走上二里路,搭上长途班车,眼巴巴地看着车门关上,开走,扫起一阵尘土,向了他们想回回不去的城市驶去。何民伟下车,摆渡,到上海的时候,已是华灯初上。奇怪的是,他并没感到上海的繁华,反而,觉出了荒凉。这一个月间,上海就像经历了大事情,玻璃窗上,贴了白色的米字条,这就有了战争的气氛。人和车又都少了几成,街头宣传的舞台也空寂着。直到他走进自家的弄堂,面朝后弄的灶间,虽然都门紧闭,却遗漏出一些灯光和油锅的烟气,使他感觉到心里安定。忽听楼顶晒台上有尖而脆的小姑娘声音,叽叽喳喳,雀似地喊:何民伟,何民伟!是他两个妹妹,从不喊他哥哥,都是直呼其名。底下后门已经开了,是他姐姐。楼梯上一串响,就像是滚下来的。姐姐妹妹前呼后拥着,却无人接他的东西,他也不要她们接,就这么上了楼。正是晚饭时节,桌上已摆好碗筷,赶紧加了一副。父母都在干校劳动,家中只这几个孩子,见他突然间回来,自然喜出望外。姐姐差妹妹去买熟菜,自己又炒了虾皮鸡蛋。生活依旧是蒸腾的,倘不是窗上的米字条,就像以前一样,以前父母不在,他们小鬼当家的日子一样。

何民伟家窗户上的米字条,是由两个妹妹贴窗花似地贴上去的。他们的姐姐已在第一批毕业生分配方案中,分到一家著名的造船厂做行车工。两个妹妹,分别是小学三年级和二年级,小学生还有管束,两人每天手拉手上学,又手拉手回家,做伴玩耍。他们的父母,均是行政机关里的一般干部。两人又都不是那种闹革命出

身的干部,而是中等人家,受过教育,四九年时,被人民
政府招募去做文员,一个是财会,另一个则做打字,誊
抄,速记。说是干部,其实是职员。"文化大革命"中,他
们这一家可说是安然无恙,虽然夫妇都去了干校,却并
不是那种惩罚性质的,是一整个机构都搬下去。大孩子
也到了能管家的年龄,可把家交给她。老大是女孩子在
此时便显出优势,比较令人放心。不知是天性,还是他
们有意鼓励,老大很有主见,虽然两人内心都更喜欢老
二一些,不仅因为是惟一的男孩,还因为这孩子生性秉
厚,从不仗了自己是独子欺凌姐妹,相反,倒是那几个姐
妹要欺负他。他们都是旧式家庭出来,又受了新式教
育,保守但却明智。他们认为男孩到世道里做人的责任
要重大一些,是有意不宠他。也看出姐弟几个实则很要
好,也是性格搭配得好,大的专断些,二的却肯让,三的
四的就干享福。

何民伟的寡言,和家中有三个姐妹有关,喜鹊闹枝
似的,喳喳喳说个没完,他即便能说也插不上嘴。女孩

子的世界,又总是和平的,那些小心眼儿,碎嘴,计较,其实温柔如水。所以,在何民伟寡言的表面底下,是内心的宁静。他的宁静不是思想型的,用思考和书本来充实内心,而是一种实际操作的性质。比如他姐姐妹妹玩珠子玩撒了,他会一粒一粒替她们捡起来;春天,母亲带他们几个到机关大院挑马兰头,姐姐妹妹玩疯了,只他在树底、草丛一株一株地寻找,用剪刀尖剜起,抖净根上的土,放进篮子;父亲要给旧铁床上新漆,先要铲去锈迹,也是他和父亲,在弄堂里,一人持一把螺丝刀,埋着头,从日东到日西;还有他在乡下一笔笔的伙食账,米里拣砂,菜里拣虫。大人都说他负责,有耐心,持之以恒,其实是来自内里的宁和。他并不是对某一件事特别有爱好,但只要派给他一件事,他必定有兴趣做好它。在一群热闹的姐妹淘里,他就是个秤砣,压住了阵脚。也所以,他虽然寡言,可有他和没他就是不一样。他回到家,姐妹们的话更多了,好像有了个重要的听客。他并不怎么与她们搭话,只是嘱她们不可乱动带回家的东西,是别人家的,自己的,有一包,花生米,姐姐收进一个火油箱,里面是这就已经开始囤积的年货。当晚,他先把两只鸡送走,收来两份钱和粮票。回到家来,在灯下画一张名册表,作收费的记录,再把明日要跑的人家排了路线。他们同学都住附近,或是马路对面,或是马路这面,再远些,是东西两条横马路上。他排好顺序,再检点一番托带的东西,就洗脸洗脚上床,这才发现身上的脏和床铺的洁净。

第二日一早他便出门了,正好是星期天,学生的家长大多在家,有那么几户锁门的,听邻居说也不过去了外婆家或是祖父家,还需晚上再跑一趟。但这一趟巡访比他估计的,耗时更长。有一些家长看见他就好像看见了自己的小孩,话特别多,有许多问题要问。还有一部分是把他当作老师,向他诉说自家孩子身体不好,有过敏症或者关节炎,能不能告假回家?另有几个则怒目相向,拒绝交付伙食费,说又不是自己想去,是被学校逼了去的,就应当由学校负担伙食,这就要缠一时。何民伟是这样一个负责任又有耐心的人,他没多少话的,可说出口的几句却很有分量。他说,他们这一届马上就面临毕业分配,留给学校的印象很重要,于是家长便拿出钱来了。说出这话并不止在乎策略,还是他真实的想法,他是一个实际的人。大多家长除了付伙食费,还托他带去一些零用钱,也有带饼干零食的,另有一些则让他留下地址,晚上就送来了买好的糕饼。何民伟的姐姐买了几斤面粉,炒成炒麦粉,又买了梳打饼干和鸡仔饼。去郁晓秋家的经验是独特的,或许,这与他的心情有关。当他走进郁晓秋家后弄的时候,无来由地觉着有点不寻常。他看看这条窄弄的上方,晾着五色旗般的衣衫,和所有弄堂里的情景一样,总是有聒噪的女人站在那里,还有一两个无聊的男人。凡看见有生人进来,就毫不规避地用眼睛跟着,他寻到门牌号码底下,正犹豫,因门内是商店的店堂,身后就有人告诉说,可从左手边楼梯上去。果然,左手有一道黑洞洞的楼梯,上半段有光,因楼梯口有一扇窗,他走了上去。楼梯口有煤气灶,菜橱,水斗,他想象不出郁晓秋在这里活动的样子。他站在楼梯口,板壁墙上的门开着,就对了门叫:郁晓秋家里有人吗?停了有几秒钟门口出现一个人,背了光,面前又升腾了一缕烟雾,所以脸是绰约的。猛一看,以为是个矮胖的男人,头发梳往脑后,像那种男式的背头。手里夹一支香烟,由另一手托了肘,举在眼前。同学们都知道,郁晓秋的母亲是个女演员,他想不到女演员会是这样的。她站在门口,问:有什么事?郁晓秋怎么了?他简约地说明来意,交出去一小袋黑芝麻,郁晓秋托带的。她倒也不多啰嗦,抬抬下巴,示意他放在煤气灶台上,手弯到衣服插袋,摸出一卷钱,另一只夹烟的手,用拇指和无名指数出几张钞票,交到他手上,转身就要进门。大约是因为过于简短了,他不由地又问出一句:还有什么吗?她侧过脸,惊异地说:还要什么?此时,光照在她的侧面,郁晓秋的面容似乎在这道侧影上闪烁了一下。还要什么?她无比惊讶地问。他嗫嚅道:乡下生活挺艰苦,吃的东西很简单,缺油水。她多少有一点夸张地,依

178

然保持着惊讶的表情，反问道：下乡不就是锻炼去的吗？他说不出话来，道了声再见，下楼去了，感觉到背后有惊讶的目光一直盯着，不由出了一身汗。

何民伟是第三天中午动身的，傍晚时分，下了汽车站。他背着驮着大包小包走近灶房，还没过桥，已有人看见他，大呼小叫地冲上来。正是晚饭时间，男女生都聚在灶间门里，一下子拥了出来，抢过他身上的包，就地打开，七八双手在里翻着，看有没有自己的东西。就有拿错的，又有碰破包，撒了的。局面十分混乱，像要打起来的样子。乱过一阵子，各自拿到自己的东西，方才平息下来。何民伟自己的东西差不多已经全拆散了，好在钱是格外谨慎地装在贴身衣袋里，这时拿出来，一个个报名字，发下去，秩序比较好。最后，他将出空的包收拾起来，又将自己的东西略微整理一下，待要拉上拉链，不知为什么念头驱动，他拿出一包鸡仔饼给郁晓秋，说：这是你的。郁晓秋方才也挤在里面搜捡，没搜捡出成果，一半失望，另一半也在意料中，忽然有了一份，自然十分高兴,也并不追究,立刻拆开吃起来。此时,满屋是糕饼的香味,一片咀嚼声,在口舌的满足中聊解乡愁。

接下去的日子,劳动已成次要,一是农事进入冬闲,二也是,下乡的目的从锻炼转向战备疏散。学校只要这些孩子不出事,不跑散就是万幸,并不敢提更多要求。于是,就只剩下玩与吃两件事。初到乡间的新鲜劲早已经过去,房东家的新娘子都有了身孕。入冬的景色显得荒凉,逢到寒流,朔风一吹,河边就结了薄冰。实在是枯乏得很。吃呢,越来越觉不足。何民伟横算竖算,咬了牙,割肉一般给大家打了一次牙祭,每人一块大排骨。转眼间塞了牙缝,比不吃还觉缺油水。都是处在发育的年龄,又是膏腴中出来的城市孩子,有多少口舌之欲啊!去陈水桥镇已成常事,总是三五个人结伴,吃了早饭上路,到镇上正是中午。其实也改善不了多少,因没有太多的钱可供支配。不过是吃碗馄饨,或者大肉面,还不够补来回走的脚力。只有两个人没有去陈水桥镇补油水,一个郁晓秋,一个何民伟。郁晓秋不去是因为没钱,何民伟不去是因为,他不是已经回上海大补过三天了吗?他这样对邀请他同往陈水桥镇的人说。而在内心深处,他不去还是因为,郁晓秋也不去。

郁晓秋是不去陈水桥镇,可她另有办法给自己找零嘴。就像一只觅食的鼹鼠,睁圆眼睛,竖直耳朵,四下里打量,看有什么可进嘴的。有一回在供销店,看见纸箱里有十来个卖剩下的青柿子,花五分钱向那售货青年买下,拿回去,悄悄埋在米缸里,因听人说柿子是在米里捂熟的。何民伟不拆穿她,只是从旁看她,过一日就要挖出来,看有没有捂黄。这柿子其实是长僵掉的,再怎么都熟不了。过了一周时间,她只得掏出来,到无人的地方吃了。这一日,她不停地喝水,漱口,用手绢沾湿了擦舌头,晓得她是涩得张不开嘴了。还有一回,她一边烧火,一边朝灶口里扔进什么,过一会儿,便听一声爆响,她伸出舌头接,接住了,崩脆一响,幽然而起一股豆香,才晓得她在爆黄豆解馋,也明白那一日下午,她一个人在收过的毛豆地里弯腰找什么。又有一日,他们俩烧开水,将大家的热水瓶一个个灌满,锅里还余下些滚水,她就对他说,你可以冲炒麦粉了。他没想到她挺关注他的炒麦粉,而且挺坦然,倒觉着有点难为情,以后,自己也不吃了。

混到新历年底,忽然宣布回上海了,不过只回四天,再要返来,就如同五七干校一般,每月休假四天,至于将持续到什么时候,并不知道。但总算每月可调节一回,人就不那么煎熬了。到家第二天就是元旦,过了元旦,就又要准备走。上午,何民伟去理发店剃头,回家听姐姐说,郁晓秋来找过他。他听了,房间都没进,立刻返身下楼梯去郁晓秋家了。姐姐看着他的背影在楼梯拐角消失,转眼间,咚咚的脚步声也听不见了,心里说:什么要紧的事,急煞!她认识郁晓秋,那时教她打大镲,夸奖过她聪敏。郁晓秋对她挺巴结的,是要学手艺,也是向来待人诚心,她们相处得不错。但她却并不高兴她来找自己的弟弟,这和关于她的流言有关,也和一般做姐妹的对自己兄弟的心情有关。就像郁晓秋小些时候,结交

182

的那公寓弄堂里的小女生一样,她也多少是不喜欢有人与她们分享自己的兄弟。家中的兄弟姐妹内心里都有点帮派意识,不愿意外人插足进来,而这位姐姐又要更加专制一些。等到中午,何民伟提了些包和瓶罐回家,便问郁晓秋找他什么事。何民伟向觉得姐姐管得太多,又觉着自己班上的事不必向她汇报,就没说什么。姐姐就不高兴了,教训道:你最好不要同她搞在一起,那不是什么好人!何民伟倒也不是为她说郁晓秋不是好人有什么,而是说他们"搞在一起",这个"搞"字非常不入耳,心想这要传到他们男生淘里,他怎么做人?他回嘴道:你说话要负责任的,谁和谁"搞"在一起?姐姐看他面有愠色,态度又很严正,心里还是有几分生畏的,就住了口,大家吃饭,按下不提。

郁晓秋找何民伟是因为班主任向她交代了任务,要来转达。她是在"四方"土特产商店遇见班主任的,他正和妻子一起在酱菜柜台前流连。在这种家常的情景中,与自己的学生相遇,显然不大好意思,他微微红了脸,硬撑着老师的架子,向郁晓秋布置说,他们负责伙食的同学应该考虑采买早饭吃的酱菜,到了乡下,就不需要往陈水桥镇上去买了。郁晓秋领了旨,自然就去找何民伟。她在底下喊何民伟,他姐姐从窗户里探出头,她就改喊他姐姐的名字:何民华,何民伟在不在。何民华却像不认识她似的,说了声不在,就退进去,不见了。郁晓秋心中略有些茫然地往回走,可等到何民伟来找她,晓得何民华转告了自己找他的事情,就又释然了。她将老师的话告诉何民伟,又同何民伟再去了一趟"四方"土特产商店,但觉那里酱菜比较贵,不如去酱园店买散装零拷的。去了酱园店,才想起没带家什,于是郁晓秋一个人又回趟家,拿了几个广口瓶赶去,装了红腐乳。什锦酱菜就用几层纸打成包,系上纸绳。两人当场分了一下,何民伟带大半,郁晓秋带小半,从酱园店就分了手,各自回家。这就已经到中午了。

现在,自然而然的,郁晓秋成了何民伟副手一样的人物。伙食上的事情,何民伟多是同她商量,当然因为她做事有热情,与她相处又没有什么障碍,她不像别的女生那样拘谨,或者说矜持。这也是她容易招人非议的原因之一。这些非议里面其实含有羡忌的成分,因大多数少年人都比较害羞,又多是受市井偏见影响,心理褊狭,行为不免是造作的,做不到她这样的率真。他们大多不能按自己心里真正想的那么表现。男生,明明受了她吸引,却要做得像鄙夷她;女生呢,或者是想做她那样的做不成,就改成不屑于为伍。总之,都有些复杂的,集中到对待郁晓秋的态度上,又简化为一个共同的不喜欢。在这点上,何民伟倒是一个例外,他并不那么敏感于郁晓秋在性别方面的特质,这是不是和他在姐妹淘里生活有关,或者和他是晚熟的男生有关,对女生木知木觉。他注意她的是另一些东西,无关乎性别,而是从性格出发。所以,他甚至都不大注意到郁晓秋是一个女生,至少,觉得她并不怎么太像女生。何民伟以为,凡女生都是娇气的,受宝贝的,小心眼儿的,当然,也是文静和孱弱的。这一些,郁晓秋都没有,她完全是另一路的,她比一个男生还派得上用场。他们两人这样合作,当然会有人说他们要好,但在乡间的简单生活里,少年男女之间,这种传说亦是天真烂漫的,没什么污秽。再有,也不止说他们俩,同时有好几对呢! 这人和那人,那人和这人,而所谓的好,其实也不过是某人替某人洗了件衣服,某人替某人到陈水桥镇上捎了套大饼油条。当然,也有,在上海休假的日子里,某人与某人一起走在马路上,正巧被人看见。

关于何民伟和郁晓秋好的说法,传到了何民华那里。前边不是说,何民华家有个邻居是在何民伟班上的,就是由这个邻居牵线搭桥,才来找何民华教她们打腰鼓的。那么,现在,这个邻家女生,就成了何民华的眼线。每次回上海休假,她都会被何民华邀到楼上晒台上,窃窃私语半天。何民伟从来看惯女孩子之间交头接耳的样子,没兴趣去听,想不到是在谈自己。在这个年纪里,相差几岁就会不平等,小的都会对大的谄媚。这一个尤其崇拜何民华,因为原是红卫兵宣传队的女高

音,如今又进工厂,正经是个大人了,竟要找她说话。自
然十分卖力,不仅夸大其辞,还要追随何民华的观点。
这女生其实和郁晓秋不错,也不属最爱传闲话的一类,
但因形势有变,不得不弃下郁晓秋,站到了何民华一边。
于是,何民伟和郁晓秋在乡下的一举一动,每月一次,汇
总到何民华这里。家中没有大人,何民华当家,不免会
养成跋扈的作风,很有野心。在车间里,她耳闻目睹了
些男女情事,也有人向她献殷勤的,自觉着有了经验,可
以独断此类事故。她故作老练地,并不挑明了,只是在
饭桌上,以随意的口气,提起郁晓秋的身世。岂不知这
是最愚蠢的,揭人老底首先就有些卑劣,再说又没有什
么新材料,都是人所周知,去攻击有好感的人还会引起
敌意。何民伟一言不发,根本不去听,只有三个字入耳,
就是郁晓秋。何民华有些急,就进了一步,说到郁晓秋
本人。何民伟依旧一言不发,不过又多两个字入耳,就
是"猫眼"。这倒是新鲜的,他竟第一次听说,不由地要
去想想郁晓秋的眼睛。这是何民华做法又一处适得其

反,倒向何民伟提供了情况,好叫他对郁晓秋认识更多一些。何民伟原已经对何民华不满,觉着她太充大,像妈一样管弟妹,而且是后妈,其实只比他大三岁不到。本就想找一件事反叛她,苦于找不到,现在,就有了。不过,他不是个性子激烈的人,所谓反叛,不过就是不响应,不附和。但就这,何民华也看出来了。姐弟两人就种下芥蒂,也为何民伟和郁晓秋关系后来的发展,种下了危险。

很有趣的,郁晓秋也不大拿何民伟当男生看。一般女生多不会在意同年龄的男生,这大约是一个原因。何民伟不是那种发育早熟,有男子气概的大男生,却是更接近小男孩,这大约也是一个原因。或许,这都不是原因,原因正是,何民伟并不以对待女生的态度来对待她。郁晓秋从极小的时候起,似乎就一直受到提醒,提醒她的性别,而这种提醒又总是以蔑视的态度进行,老让她自觉有错,却不知如何是对。因她不是那种有自觉的女孩,且是比较混沌,甚至,同年龄的何民伟还比她更有意

识些。关于郁晓秋的流言他有时也会想一想,想的结果
却是:郁晓秋完全不是流言中的那样。这也是因为他比
较注意到她性格的原因。在他的注意力中,郁晓秋的性
格要比性别特征更占上风。所以,郁晓秋在他跟前,就
比较轻松。他们之间,有一种类似同性间的交情,这呢,
也多少会使他们放松警惕,行为就有些随便。在乡下生
活,朝夕相处,男女生之间的禁忌略解除些,但还没到公
开和自由。像他们,也不过是,一个到另一个的宿舍门
口喊对方的名字,"郁晓秋"或者"何民伟",就已经显得
很放肆了。男生们开始当面开销,远远看见郁晓秋在,
就几个人上去,按住何民伟,将他的头扭向她。他越挣
扎,他们越不松手。他挣不动了,被架着,往那边推拥
去,并不到跟前,离了还有七八米,一松手,返身就跑,他
则转了身,撒开腿追他们,以免一个人留下。在这玩笑
中,其实也微妙地含有几分不当真,他们内心并不以为
他俩真有什么。何民伟在男生淘里,也是属小男孩的那
类,他们当中有一些,已长成大人的个头,唇上也有了软

须。而他，形容依然幼稚，不是和郁晓秋好得上的那类男生。所以虽然玩笑开得粗鲁，但实际用心并不深。到女生那边，情形要严肃一些，她们一般要比男生早熟两到三岁的光景。她们当面不说，背地嘀嘀咕咕的，但何民伟不在那几个男子气的男生中间，根本不入她们的视线，因此是以轻蔑与讥诮的口吻，觉着此事很滑稽，也不那么太当真。只是，由那担任眼线的女生传到何民华那里的时候，事态变得严重了。

何民华是夸张了形势，可是，有一点，她算看对了，那就是，何民伟受郁晓秋吸引。但是，她没看对何民伟究竟是受郁晓秋哪方面的吸引。她认为这吸引来自郁晓秋被公认的那方面，即"风流"两个字。在此，她落入了一般性的窠臼，也落入偏见的窠臼。像何民华这样，出身于保守的市民家，受的是教条的学校教育，对于男女关系的认识是古板和实用的，然后就到了重工业的车间，在这劳作的阶层里，两性关系揭开了肉欲的一面。她很难有机会得到其他的新鲜细致的体验，她只有顺着

一般性和偏见走。所以,她便对何民伟和郁晓秋的关系
紧张起来,密切注意动向。可是,自那一次上门找何民
伟之后,郁晓秋再没来过。何民伟每月四天放假回家,
表现也很正常。直到备战结束,他们这一届学生全从乡
下撤回来,等待毕业分配,空气一直很平静。甚至,连那
眼线来报告的,也不外乎是一些旧情况。他们父母,相
继从干校回家,每日上下班,这个家,又回到原先的生活
秩序,全家的中心大事是何民伟日益迫近的分配问题。

他们这一届分配去向大局已定,就是下乡,有插队
落户和农场两种,各有利弊。插队落户收入是不可靠
的,等于是做农民,但行动来去却是自由的。农场有固
定工资,是农业工人,但多是在边疆,亦有纪律管束。何
民伟家经济不成问题,不指望他赚钱,只要他离得近,可
叫得应。所以倾向插队,地点是江西或者安徽。这两个
地方又是利弊各有,前者是种稻区,可吃大米;后者生活
艰苦,但交通更为便利。最好的情形是安徽淮南地区,
又近又有米吃,但人烟稠密的淮南,每个学校只有可数

的几个名额,专供家庭特别困难的学生。像何民伟这样的中等人家,姐姐且已留在上海,想也不必想了。郁晓秋的情形与何民伟很相似,在分配中属于一个档次。她哥哥早已工作,姐姐分在市电话局查询台做接线员,郁晓秋惟有下乡一条路。她倒不是不愿去边疆农场,只是像她的家庭出身,虽然归不到地富反坏那一类,可到底经不起推敲。所以,知难而退,也是在江西和安徽两地作抉择。这一段时间,学校并没有明确的到校规定,但都牵挂着分配大事,不时要去打探打探,你去我来,终有一日,何民伟和郁晓秋在校园里遇见了。回到上海,男女生间就又故作严谨,乡下时候那一点点松弛的气氛消失殆尽,再度成了陌路人。何民伟和郁晓秋不免也受影响,两人见面作不认识,只不过有意还是无意地相跟着出了校门,走过一段之后方才说起话来,说的还是分配去向的事情。但这情形多少有些鬼祟,两人不免不自然,没说几句,惶惶地分了手。下一回见到,互相竟有些躲避,连话都没有说。几回一来,两人真成了不认识,马路上迎面走来，都作不看见地走过去。这一天，何民伟却上门来找郁晓秋了。

何民伟问郁晓秋有没有决定到底去哪里，他们学校派定去的安徽某县干部已来上海，住在锦江饭店，要不要去见见他们，问问那里的情况。郁晓秋说好，放下手里做的事情，锁上门跟他去了。何民伟这一上门，其实表明他已经作了一个决定，就是，要和郁晓秋去同一个地方。郁晓秋呢，这么一喊就走，也表明她是同意这决定的。虽然这一段日子，他们相处得挺别扭，可是这么样一说话，之间就又顺畅起来。他们说着话，迎面走来一个同学，两下都作看不见地走过去，照旧说话。到街角一转弯，远远看见锦江饭店门前的店铺长廊壅塞了人。走近去，看见墙上开有一扇窗，人们争着伸手往里讨会客单，一张二指宽、纸质薄脆的单据，填上要见的客人名姓，来自的地区单位，所住的房号，签上自己的名字，再争着交进窗口里去。里边的人手里握着一把把的纸条，亦不知能不能唤出自己要见的那一个人。要见客的人里,有上几届的已经分配去插队,又回来探亲的学生,想在上海招待一下当地的父母官;有学生的家长,也是来朝拜儿女的父母官;也有像他们这样,临分配之际,来打探消息。安徽是如此陌生的地方,所听所闻多是可怕的饥馑的故事,倘能亲眼见一见那里的人,心里便会踏实一些。可何民伟和郁晓秋既不知道来人的名姓官职,更不知道所住的房号,只知道来自安徽某县。他们已经填了三张那样抢似地要来的会客单,再又送进去,简直是沧海一粟般消失在纸条堆里,就只能坐在廊下台阶上等。此是仲秋季节,上海此时节是季候上所称的,真正的小阳春,阳光几乎将梧桐叶片照成透明。他俩坐在梧桐影里,谈的是茫然无所的前途,心情却是跃然的。因是在人生的开头上,茫然反而好,最怕是一目了然,就没了憧憬和指望。还有,现在当下,也令人高兴呀! 在一起说话,彼此都不讨厌,还有一点喜欢,不是爱,爱是要叫人紧张不安的,是轻松的,单纯的喜欢。何民伟突然上门,是有些郑重的意思,可不是很快就释然了? 他们彼此都上过门的,这并不是第一次。然而,何民伟终究是要比郁晓秋有心,面对茫然的前途,他比郁晓秋有计划,有估量,郁晓秋是走到哪算哪。这也是她的混沌之处,但这混沌的最底下,却是有一股子乐天劲的。她似乎天生信赖人生,其实不是无端,她是择善,就不信会有太恶。这股乐天劲使她的混沌变得光明,而不是晦暗。

这一天,他们从早上等到中午,各自回家吃了饭再来,接着等,到傍晚,也没看见半个安徽人,尽是上海的学生和家长拥来拥去。虽然没有什么收获,但两人也不沮丧,因是很快乐的一日,内心都很满足。何民华上早班,先何民伟到家,然后听他三级并两级地上楼梯,不像他平时有些闷的性情,格外地看他几眼。自此,不知是她多心,还是确有其事,何民伟就与往常不同了起来。或话多,或话少,或在家,或出门。但到底没有明显的动静,好叫何民华说话的。直到何民伟去向已明,定下安徽淮北某县,而且她从旁得知,郁晓秋也是去那个地方,这才证实了她的猜疑。不过她自忖不够来裁判这等大事，便上报了父母。方才说过，这家父母全是中等人家出身，没有门第财富观念，但很讲究规矩和清白，听讲郁晓秋的身世已经生厌，再有一次，何民华指给母亲看，说，就是那个人。郁晓秋正在街心花园和邻居女孩打羽毛球，街心花园就在弄口不远，所以还是家中的装束，上身只穿一件短小紧窄的毛线衣，头发在脑后编成一根辫子。街上人走过，都要回头看她一眼。何民华的母亲又怕了三分。于是便决定何民伟去江西，并且代他到学校改了地方。因是父母的意见，没有还价的，何民伟作不出反抗来，惟有听从，去了江西。相隔仅一个星期，去安徽的那一批就出发了。此时距他们在锦江饭店等人，已过去半年，是第二年的四月。

郁晓秋去安徽，只带一个中型的牛皮箱，是家中的旧物，装着旧衣服。也不像其他同学那样，装了卷子面，猪肉听头，饼干糖果。母亲还是那句话：下乡是去锻炼，不是享福。但临行前的晚上，母亲交给她一个手缝的小布袋,袋口用一根细绳抽紧,可挂在脖子上。母亲说里面装着三十块钱,是回家的路费,不可挪作他用。郁晓秋正要接,母亲又刷地抽回去,厉声道:平常无事不要回家,除非是,安徽发大水,闹饥荒,万事丢下,拔腿就跑。这一晚,母亲和姐姐调了铺,同郁晓秋睡一床,也并不多话,拉了灯,背朝背睡下,一宿到天明。第二日走,并不去送她,按惯例上班去。中午时,郁晓秋自己吃过饭,出门到学校集合。到了火车站,别人都在凄厉地哭叫,只有她一个人早早上车,坐在车窗边看底下的风景。安徽来带队的干部,从空着的车厢穿行过去,不由很奇怪地多看她几眼。看她穿一件肘部已磨光的咖啡色灯芯绒上衣,里面的毛衣颜色也很旧暗,只是一双眼睛特别,双睑格外宽,瞳仁一直跟人走到眼梢。后来,干部再巡视车厢,满眼睛的莺莺燕燕,她淹没其中,找不见了。一夜火车,继而一日渡船,再是汽车,再土路颠簸一阵。越走人越分散,最终到了目的地,就只有郁晓秋和她们的集体户了。

郁晓秋所在的集体户总共六个人,全是女生,住一间生产队腾出的库房。石灰水新刷了墙,地是新铺上土,用铁锨拍平,留下一个个锨板的印。每人一张板床,她们进去就挂起帐子,倒是雪洞似的,洁白敞亮。她们这六个人,来自不同的年级和班级,过去都不认识,这样倒也好,不用碍着情面,可先立下规矩,事后有要好了的,自己通融也不干大家的事。她们的规矩是,前边半年,有安家费和口粮,交出做伙食账,比较清楚。以后就要凭工分了,队里给定的工分是一样高的,就先尽工分挣来的口粮与烧草,倘不够,就分摊补贴,要有盈余,也平分。烧饭的事,轮值,这样也涉及不到工分的多与寡。在大灶之外,各人要开小灶,各行其便,反正都自带了煤油炉,说到这里,就都看郁晓秋一眼,因只有她没有煤油炉,行李又特别少,人们多有一些轻蔑。以后,收工回来,饭还没烧好,那五个人总要先开点小灶,将带来的饼干零食摸出来吃,互相还要交换。郁晓秋什么都没有,所以参加不进去,自然就落了单。为避免尴尬,她干脆出门去，到农人家串门。家家是忙晚饭的时候，她就替人烧锅，让女人腾出手来奶孩子，做针线。农人们对上海来的学生都很好奇，尤其是女人，爱看她们穿的和用的。可学生们很骄傲，一扇门总掩着，叫人们接近不了，如今郁晓秋自己上门来，当然很欢迎。可惜她很快叫她们失望了，觉着她穿着寒酸，也不像那几个，有着许多吃食。同时呢，又觉着，上海人也没什么。倒都和郁晓秋很好，有时会给她半碗自家腌的豆子咸菜。她端回去奉公，那几个开始不欣赏，还嫌有蒜气味，但几个月一过，就熬不住嘴里无油无盐的寡淡，也吃了。这样，多少有些物质上的交流，郁晓秋与她们略融洽了点。可在此同时，又生出新的龃龉。因郁晓秋与农人们关系好，做活又肯下力，除了队里派给的活，她还和妇女孩子一同割牛草，称给牛房，格外再挣一二分工。人们自然都向着她，一个集体户里的人难免不高兴，刚以腌菜建立起的一点交好又消失殆尽。连向来马虎的郁晓秋也对集体户的关系没了信心，只得敬而远之。所以，虽然有个集体户,她倒更像是生活在乡人中间。冬闲时候,公社成立宣传队,将她召去。她当然高兴,计工分不说,又有少许现金补助。其他几个都在张罗回上海,她也不羡慕。回上海需要一笔开销,而那些钱母亲是给她救急的,她轻易不能动用。她去公社时,其他人还没动身,临近春节,宣传队结束,她回来生产队,人已走空多时。帐子都垂挂着,里面的被褥已卷起,有些森然的气氛。她倒不害怕,将自己的床铺好,筹划如何过年,早有人来拍门,喊她去吃饭。过年家家割了肉,称了鱼,诚心诚意邀她去,每顿都不落下。所以一个年过得很热闹快活,口舌也没吃亏。过了元宵,乡里人说的"小年",方才算过完年节,春耕还未开始,地里闲着。这天下午,她在屋里忙,将洗净晒干的帐子重新挂上去。忽听门外小孩子叫喊有人找,她跳下地跑出去,一下子没说出话来。门外地上,站着何民伟。

何民伟第一眼都没认出郁晓秋。郁晓秋穿了一身新袄裤。她带出来的旧棉袄,是姐姐穿下给她的,倒是一件丝棉袄。可丝棉胆的羽纱磨成了一张网,丝棉压扁了,并不暖和。毛线裤本是旧毛线织的,多有断头,也是薄削不暖和。秋后分了粮草和棉花,又多得了几块钱,她就央队干部去县城开会时,买几块布料,买来的不是红就是紫。她再央要好的媳妇姊妹替她裁了棉袄、棉裤,裁出来的自然都是乡下式样。棉袄是红花的,棉裤是一色的紫,扎辫子的玻璃丝断了,问新嫁来的媳妇讨两截红毛线绳。因为怕系不结实,便斜挑头路,挑一个发箍,编一条细辫,再编进一侧的辫子里,也是乡里人的样式。这样,她彻头彻尾成了一个乡下妞儿。何民伟轮廓模样都没变,只是长个头了,因本来就是敦实的身体,这时高了半头,就有了成年男子的模样。他穿一件毛领子蓝卡其面的大衣,提一个旅行包,站在门前树底下。树枝秃着,骨节处爆着一点一点的绿,虽然是疏阔的,但已无萧杀之气。两人见面,一时有些手足无措,但很快就过去了。他俩就是这点好,无论何时何地何种意外,都可自然地相处,所以彼此都觉着愉快。

转眼间,何民伟已进到屋里,帮她一同挂起帐子,然后就到灶屋里做饭。好像一下子又接上下乡劳动的日子,只不过烧的灶和燃料,以及锅里的饭食有所不同。郁晓秋从锅里端出一盆醒着的发面,揉开,就叫何民伟烧锅。这与何民伟在江西烧的锅,结构有些不同,他略研究了一下,便上手了。此时,郁晓秋在锅里划了小半勺油,倒下洗净切好的白菜,翻了几下,再下虾米,粉丝,添半瓢水,盖上锅盖,转身去揉面。揉成长条,一团一团揪断,锅也烧圆汽了。揭锅,将面团在热锅边一压,贴住,压一周,贴一周,然后盖上锅盖。这时,她就叫何民伟让位,她要亲手烧了,因是关键的火候。何民伟并不争抢,让出来,打开旅行袋,掏出香肠,听头,牛肉辣酱,自家烧的红烧肉,装在广口瓶里,结着白色的油冻,看来是烧好让他带回江西去,他却直接来到了这里。此外,还有一瓶酒。和所有下乡的男知青一样,他也学会喝酒了,这使他更像成年男子。等揭了锅,原先单个贴在锅边的面饼,就发得连成一圈,锅底的白菜粉丝也煮成半汤半菜的了。这时,门口伸进一只小手,颤巍巍端一只大碗,碗里是煎黄的老豆腐,一个小孩子的声音说:我娘给你家客人吃!郁晓秋忙着铲饼到篮子里,头也不回,操一口本地话答道:告诉你娘,今晚到你家借宿!小孩呱哒呱哒一阵脚步响,跑远了。

这餐晚饭,非常丰盛,郁晓秋也喝了酒,两人学了乡人,还猜拳。两省的叫拳法有些差异,但基本格式是一样的,起拳都是手指捻手指,上下摇两记,然后一抽手,喊:哥俩好啊!他们真有些像哥俩似的,面对面,坐一张矮案板的两边,喝酒,吃菜,叙旧。他们说到学校里下乡劳动的日子,许多原先心照不宣的事,这时说出来了,许多不知情的事,这时也说出来了,依着惯性,一些不曾有的事,也生造出来了。不过,他们到底是不大会喝酒,多是学样,这种辛辣的劣质白酒,都叫他们舌头痛。所以,吐的多,喝的少。倒是吃得有些过头,一瓶红烧肉吃去大半,煎豆腐吃了,香肠炒蛋吃了,半锅白菜粉丝,配了发面饼,也下肚了。饭菜撑的,微醺,一个就地躺下,另一个脚高脚低地往邻居家去借宿。那家人都睡了,给她留着门,媳妇将男人赶走,专给她留铺。等她摸黑上了床,那媳妇开口了,说当你不来了呢!郁晓秋说:他睡了我的床,我睡哪里?媳妇听她还懵懂着,想大地方人真是知晓人事晚,翻个身去不再说话。不一时,两人都睡着了。过后的几日里,有人也问郁晓秋,那是不是你对象?郁晓秋说,不是,是同学。人们就说,他专程来探你,总是有意思。郁晓秋说,我们同学,都是这么跑来跑去的。乡人们真就以为大地方人的生活这么开放。其实呢,郁晓秋未必懵懂至此,何民伟瞒了家里人,南下而改道北上,到她这里,当然不会是一般的"跑来跑去",她了解其中的情意。她也不是会佯装的人,就以加倍的热情来回报。这几日,他们过得很好,地里的活计大多闲着,有一些也是把式的活,轮不到她,她就带了何民伟四处跑。

他们倒不是那种有情调的青年男女,不会浪漫地享受自然,但他们自有从城市里得来的一种闲情逸致方式,那就是说,他们把乡间当成一座大公园。坐在沟边说话,在泛青的麦田间散步,路边有早开的一种黄和紫的花,就采了来束成一小把,未等回到住处,已蔫了。在乡里,他们都已是婚嫁的年龄,却还在做小孩淘气状,乡里人看着,既觉着作态,又觉着新鲜,并不把他们当真。这两人如入无人之境,在开阔的天与地之间,真是有无尽的自由。他们连手都不曾拉过呢!信不信?彼此都还没有生出这种欲望,只是起心底觉得,在一起开心。因为都喜欢对方,也因为知道对方也喜欢自己。他们话那么多,自然要说到为什么不能在一处插队。郁晓秋至今与集体户中的成员还如陌路一般,虽有乡人们对她好,可毕竟隔膜,处境相当孤独。何民伟那边要好一些,是两男两女一个集体户,关系称得上和睦,但也不如和郁晓秋在一起过得来。他们就是在一起过得来,可却不得不在两处,这就要引出何民华来了。何民伟不会说何民华太多的不好,郁晓秋也不便说,至多只能怪她听信谣言,而那所谓的"谣言",却是两人都不愿点破的,有一种难堪。何民伟只说一句:你一点不像他们说的那样。郁晓秋就说:我听凭他们说去! 两人都有些黯然。何民伟走之前,将上海带的吃物全部留给郁晓秋,郁晓秋不要,何民伟就说:我妈妈每月都寄给我包裹和钱。郁晓秋一下子说不出话来,她是向不能从母亲处得到周济的。何民伟已经把下乡劳动时,送郁晓秋那包鸡仔饼的来由说给她听了,他没有隐瞒对她母亲的不满,这是他向郁晓秋表达同情时带出来的。这个女演员留给他古怪的印象,有一种晦暗的气息,这是来自不为他所理解的生活,说起来最与他无关,可是最后却致命地扭转了他们的关系,改变两个人的生活。

然而,就是这个连郁晓秋自己,有时候也会怀疑,对孩子有没有关爱的母亲,下一个春节还未来临,她就来捞郁晓秋回上海了。她很有法道地,为郁晓秋造了一份病历,证明她患有肾盂肾炎——这病名郁晓秋连听都没有听说过,凭了这病历,搞来级级证明,最后,她母亲自己携了证明材料来到她所插队的县份。事前,母亲拍了个电报给郁晓秋,让郁晓秋到县城来碰面。可乡下的邮电怎能按常规算,电报在县里接收,然后就与平信一样,一级一级往下发,最后还是由乡邮员每周二三次地骑车送往各大队。等郁晓秋收到电报,已是她母亲抵达日期的第二天了。郁晓秋只是从上海来,在船码头下岸,算作到县城一回,又让汽车直接拉走,连县城怎么个样都没看见。脑子里只有一片河滩,河滩上是一辆辆平车,平车上是装了水的大铁皮桶,由赤胸裸背的男人拉着,身体和地面斜成锐角。场面有一种荒凉和慓悍,与"城"的概念相差十万八千里远。如今应母亲召要去县城,都不知该往哪个方向抬脚。乡人们有说朝北步行三十里,到上游乘轮渡到县城码头,亦有说朝南走三十里到邻县搭长途车到县城汽车站。乡人们所说的二十里、三十里,其实都是约数,方向地名也是大约,因多数人是没有去过的。最终,还是按集体户知青的建议,步行上公路,拦一辆拖拉机,到某地长途车站乘车。因她们是确切去过县城,然后从县城再回上海,所以比较靠实。郁晓秋母亲来此地的消息,很引起集体户的震动,这名同学就像个没家的人,没有人牵挂她,可却惟是她的母亲,千里迢迢来安徽。大家不由也对她热心起来,指点她路线,还告诉她在县城何处可住宿和吃饭。第二日天不亮,郁晓秋便出发了。傍晚四五时,她才到县城。这时方才发现,所谓县城,亦只是两条相交的水泥路,路边有些店铺,一半已上门板打烊,还有几个门开着,虽没收市,却也没什么东西,看不出是做什么买卖。总之,十分冷清。她按集体户同伴的指点,往县招待所去。这是县城惟一的招待所,母亲要住就只能住这里。招待所位于东西向水泥路的南端,房屋倒越见齐整,原来是一些机关样的院落。未到跟前,远远地,就看见母亲弯腰与一挑担人说话。一眼便可看出,这是个外面来的女人。近两年没见母亲,此时且出现在这偏远的内地小城,可郁晓秋并不感觉突然,甚至也没太大的激动。母亲没变样,依然是齐齐梳往耳后的不分路的短发,蓝卡其小方领插袋两用衫,手里夹一支香烟。她走到跟前,母亲已和挑担人交割完生意,她嘴里衔了烟,两只平摊的手上,各放了两个熟透的大红柿子。见郁晓秋走来,下巴一歪,示意她接一只手上的柿子。郁晓秋接过去,母亲空出手拿下嘴边的烟,说:一角钱四个,差不多白吃。母女俩朝招待所院落里走,两人都像是昨日才见过一样,毫没有别情离绪。

进到房间,先相对坐了吃柿子,个大汁饱,沁凉蜜甜。只听房间里都是呼啦啦的吸吮声,根本顾不上说话。吃罢,洗了手嘴,方才坐定。母亲说了来意,郁晓秋满心狐疑,只觉不可能,可也知道,母亲只要说行,就一定行。所以并不辩驳,只由了母亲去做。母亲所做所行,归结起来,其实只一件事,就是请客。她在渡船上,便结识了县"五七"工作办公室里一名干部,是从上海下放来的,都是上海人,很快就搭上了话,话题是从船上供应的面条开始的。母亲很奇怪这一角二分一碗的面条,既无油亦无盐,直接从清水里下了捞起,如何能卖出来。她很有觉悟地批评说:这是对贫下中农的态度问题。那

名上海干部笑道:贫下中农才吃不起这面条呢! 这名干
部挺年轻,不到三十岁,姓孙,是上海出版系统的下放干
部,与母亲可说是大同行,都算文化口的。所以,不一会
儿就成了熟人。母亲口口声声喊人家小孙,倚老卖老。
那小孙看她派头,觉着有些来历的,于是心甘情愿当杂
役。下船时,母亲的行李,几乎全部到了小孙身上,又由
小孙领到招待所住下。此后的宴请,都是小孙定的人
选,出面去请,自然也场场都到。"五七"办公室专为下
乡知识青年成立,至此也有三四年光景,对县里几级权
力机构早摸得很熟,尤其是有关知识青年的政策条例,
知道如何使用与操作。所以,小孙就懂得该请谁不该请
谁。这些人呢,虽然也当"五七"办公室是个摆设,与民
生民计无甚相关,但因是在上山下乡运动的风潮上,所
以,面上都很尊重。来请的且是上海知青的家长,情理
就说得过去,内里又多少有着对上海客人的好奇,凡请
下的,个个都到齐。开始两场,是在饭馆开宴。县城最
好的饭馆,最昂贵的菜,不过是炒腰花和炒猪心,有一

次,是小孙自带一只老母鸡,早上送过去让厨房炖汤。后来,饭桌上一位主任建议,可到县委小餐厅来请,价格还给优惠,于是,宴席便转移地方,进了县委大院。饭菜未必会好到哪里去,可身份不同了呀！其中有一顿是专请郁晓秋所在公社的干部,公社干部进到里面,个个表情肃穆。除了吃饭,还送礼,送的是真丝衣料,巧克力,听装饼干,摆出来花花绿绿,闪闪烁烁一桌面,繁华的上海似乎到了眼前。其实,却是不大实惠的。有口直的,会脱口说:这么破费,不如肥皂毛巾的用得上。母亲立即说:一句话,你家的肥皂毛巾我包！大家都不曾想到上海女人会如此豪放,不下于一个男人,对她颇有好感,个个向她拍胸脯。不出一周,上下便打点完毕。临走时,母亲从旅行包里掏出最后三条牡丹牌香烟,是专为小孙留的。又从手腕上抹下自己的英纳格手表,拍在小孙手心里。这个动作就不单是还情,还像母亲对儿子。小孙要推,她便说:你手上那是个什么表,无名无姓,戴了不如不戴。小孙只得收了。一周来,他对这个女人竟有些依恋。郁晓秋前一日就搭公社干部的车回了生产队，是他把她母亲送上轮船。来时满满的行李，走时亦是满，装的是花生，黄豆，芝麻，土豆和小磨香油。

转过年，也是四月，郁晓秋便病退回上海，离她走正好两年。

第五章

插髻烨烨牵牛花

——摘自宋词《浣花女》(陆游)

郁晓秋回到上海,有大约两年的时间没有工作。此时,街道里弄里屯积了一批这样的青年,叫作"待分配"。大多是几届以来,因身体情况允许不下乡的毕业生,也有少许像郁晓秋这样病退回沪的。他们都不会预测到,几年以后,病退的政策将普遍实施,形成知识青年回城的大潮。而现时现刻,人们都异常的羡妒郁晓秋,认为她母亲颇有法道。郁晓秋的母亲在结束靠边站的状况以后,几乎没有隔夜地,悉数取出解冻存款,分作三份,两份各存入两个大孩子的名下,第三份尽数用于调郁晓秋回沪。她很知道世事的不可靠,冻结时没有大怨艾,解冻了亦没有大欢喜,就是知道要动作快,及早化为实效,谁知道下一日会如何? 反正有工资呢! 她向来能伸能缩,每人每月十二元能过,如今恢复原工资一月一百多元也是尽数用完。所以,她还是说新社会好,倘还是在旧社会,像她这样姿色已退的老艺人,怕连西北风都喝不上。如今,即便在牛棚里隔离,她也还是有保障。他们剧团里,有几个历史问题严重的,吃了官司,坐监牢

了,知道他们怎么说? 吃人民政府饭去了。不就是有保
障的意思? 她每月工资留下烟钱,上班的车钱,洗澡理
发钱,其余统统交给郁晓秋开销家用。大的女儿已经工
作,她也不要她交饭钱,一则因为郁晓秋无饭钱可交,二
也向大的宣布,到出嫁时,就不再给陪嫁了。生活又回
到原先那样,郁晓秋当家,不过手头宽裕了许多,不比那
时按人头发放的生活费。可她并不敢大手大脚,每月都
会剩余一些钱,还给母亲。母亲有时收下,有时却让她
添一件衣服。这样,她就有了私房钱。她的私房钱,主
要花在给何民伟寄包裹。何民伟其实不缺,但这一寄一
收都有着无限的安慰,缓解着两地的思念。他们已经很
要好,但竟还是没拉过手,也幸好这样,没有肉体的欲
念,相思就不是顶苦,还有些甜蜜。一封信,一个邮包,
就给了彼此很大的满足。甚至有一次,何民伟还给郁晓
秋打过来一个长途电话。公用电话间的跛脚青年,在临
街窗下喊郁晓秋的名字,说是江西来的长途,没有挂掉,
要她立即去接。她几乎是哆嗦着腿脚,连滚带滑下了楼

梯,奔出后弄,再奔到邻近弄口的公用电话间。一把抓
起电话,可电话里尽是嗞嗞嚓嚓的杂音。她这边大声喊
"喂",那边也是在喊"喂",真好像隔了有千山万水。他
们没有说上一句话,可彼此晓得是对方。这一刻相当酸
楚,郁晓秋是掉着眼泪回家的。可是想到何民伟远远地
想着她,又是起心底快乐。后来,从何民伟信里才知道,
他们是到县里开知识青年上山下乡积极分子代表大会,
就去邮局里要了个长途,等了一个小时,方才接上,还只
能"喂喂"的,他们那地方,很"山"很"山"。何民伟就将
名词用作形容词,描绘那里连绵不尽的山形地貌。郁晓
秋回信问他,怎么知道她家的公用电话号码? 何民伟在
下封信里回答,她家其实与他家共用一个公用电话,号
码是一样的。

　　这期间,何民伟和郁晓秋往来,何民伟家采取眼开
眼闭的态度,因晓得他们分在两地,不会有什么结果。
但同时呢,又微妙地存着一点功利心。无论如何,郁晓
秋已在上海,他家的人却在外地,退一万步说,也是个归

宿。当然,这只是他家大人暗中所想,何民华是不曾放弃她的观点,无论两人的境遇如何改变,她都坚持认为何民伟不能和郁晓秋好。她已经有了男朋友,是同厂的一名技术员,上海交通大学船舶系,"文化革命"前刚入校一年的大学生,工资待遇依然按照大学毕业的标准。照理,处在令人满意的恋爱中,应该对人对事宽容,可何民华却不是。她反因为享受了热恋的巨大幸福,而更认为郁晓秋不配。所以,那两人之间的往来,他家父母还都有点帮着瞒何民华。家中有了工作又有主意的长子长女,父母都有些怕的。也是因为向来依赖惯她,纵容了她的独断专行。何民伟一年只回家一次,可住的时间很长,从年前到年后,再到开春,最后入夏,方才打点打点回去。插队落户到了这些年,人心都已涣散,还有一来不去的,但大多是要顾虑前途,还是要回去混半年。何民伟在上海,除一早一晚,吃饭睡觉,就都是和郁晓秋一起。两个闲人,又住得近,郁晓秋家白天没人,何民伟去了,两人说话,何民伟帮着干点小活。修电线,换煤气

灶橡皮管,水龙头里的橡皮圈。偶尔的,他们也出去,但
总归是有目的的,看一场电影,吃一碗小馄饨,或者买某
样东西,到中央商场修理东西。他们都不是诗情画意的
人,之间的关系也过了空谈的阶段,倒有几分过日子的
意思了。要说过日子,他们真能过到一起。何民伟是个
内心安宁的人,特别适合家庭生活,郁晓秋的性格不是
那么静谧,可她却有着生活的诚意,努力要做得好。在
别人看来,他们在一起恐怕是乏味的,可他们自己并不
觉得。甚至,因为都没什么大志向,他们也不顶为前途
焦虑。他们觉着眼下就挺好,嘴里说的闲话,手里做的
琐事,是没多大意思,可又有些小意思,除去本身的实用
性外,还是因为和自己喜欢、也喜欢自己的人在一起,总
有一些派生出来的乐趣。有时候,他们看完一场下午场
的电影,这时节的电影不外乎就是那几部,翻来覆去的,
可总也有些夸张的激越的东西,比如音乐,比如画面,比
如一些言辞,鼓荡着他们的情绪。周遭环境却是那么宁
静,西斜的阳光将树枝投在房屋的墙上,恬淡又温馨。

他们各自都有负责任的家庭做依靠,不必为衣食着忧,

处境都是安全的,而彼此间,无疑无猜。两人又是越长

越好看的年龄。何民伟又拔高一截,几可称得上魁伟,

他的脸型稍有改变,瘦削了些,圆脸就成长脸。他还是

学生头,前边有一点发梢,斜在额头上,却不是稚气,而

是英俊。郁晓秋呢,她终于从阴晴无定的发育时期走出

来,荷尔蒙在一个协调的状态中保持着饱满度,于是,脸

色变得光亮明朗。她依然是那种略黄略黑的沙皮肤,可

你也想象不出像她这样线条丰富的五官,如何能长在白

皙的底色上,那就好像会承不住重量似的。现在,她可

真是绚丽啊!连那毛出来的碎鬈发都增添了这绚丽。

好在她不是那类高大的体格,否则就是惊艳了。她早就

长定了个子,小些时显得触目的曲线,此时且线条流利,

有几分苗条,因为骨肉匀停。他们这一对走在路上,过

路人也会多看两眼的。他们自己可能是稔熟了,并不觉

得,但偶尔的,在某一种光线,某一种角度,忽然地,会很

惊讶,这是那个人吗?可是好看极了。这也是令人愉

快的。

在一次分别之前,两人在郁晓秋家里,肩靠肩坐在床沿上,自然而然就依偎在一起。先是何民伟将手搭上郁晓秋的肩膀,两人都不敢动。屏了一会,何民伟搂得紧一些,郁晓秋方才靠过去,渐渐钻进何民伟的怀里。两人心跳着,忽然间,一个觉着一个那么大,一个觉着一个那么小,一股从未经验过的感动注满他们身心。他们试着接吻,只是嘴在对方脸上、唇上触摸,可这已经使他们非常满足。他们发现,他们已经那么要好了,却还能更要好,几倍、几十倍地要好。这一回分手,他们可真是依依难舍了。郁晓秋不能去车站送何民伟,因何民华是要去的,何民伟只能在下午时去郁晓秋家告别。两人坐在床沿上,抱在一起,脸贴着脸,互相被对方的汗和泪弄潮了脸。就这么,一个时辰过去,何民伟不得不走了。走几步又回过身,抱一抱,多么舍不得啊!那么热热的,亲亲的人。两人嘴里喃喃地说,要一直好下去,永远好下去。本来这是不成问题的问题,此时提出来,并非互立誓言,而是格外的亲昵和动情。这一回分离,连何民伟这样实际的人,信中都要抒发了。郁晓秋有几次跑到虹口四川北路电信总局去,向何民伟所在的那个公社挂长途,她企望何民伟说不定正巧到了公社里呢,结果当然是没有。她往回走,走过海宁路桥,稠厚的苏州河水面上有她的小小的影,寂寂地走过去,内心戚然得很。身边不乏有追求她的人,有街道里共同待业的青年,有过去在一个中学,现已在工厂就业的高几届的同学。她不再是以前那个撅臀挺胸地走在街上,毛茸茸的撩人的小东西,而是风华绚丽的姑娘,撩人还是撩人,可却有一股令人敬畏的气息。这是生发于青春,青春本就是有威慑的,只是它仅在某些人身上,才会如此全面地展现和迸发。追求她的人都是认真的,怀着正当的婚娶愿望,有的条件相当成熟,行为长相也不至于让她有反感。可她眼里心里只有一个何民伟,宁可是这样见不着,没有归宿,前景渺茫。抱着他,又为他抱着,几乎是噬骨的快感,在不得见面时又成了痛楚。惟有他才能,才能有这一切苦和乐。他们是普通的青年男女,刚交二十岁的年华,不怎么懂得爱,只是谈得来,相处得来,要好。然后,稍稍接触了肉体,窥见性欲的模糊的光。他们开始有些骚动,而因是在相处这么久之后,这骚动就又不单是肉体的了,有了甚至称得上是精神的诸多原委。虽然仅止是肉体表面的触碰,可他们的关系拉开了新的帷幕。他们这才开始真正的男女情爱,之前,只是两个孩子的要好。前面说过,他们彼此都不太把对方当异性的,所以才相处得来。他们相处好了,相处熟了,才发现原来是一对异性伙伴,而他们的年龄也正走到长成性爱的阶段。谁能替换对方的位置呢? 没有人可以。只有他们俩,就让他们相思吧,煎熬吧!

幸好,还有现实的庶务打岔,转移了注意力。这一年夏天,郁晓秋接到了工作的通知,在街道玩具厂里做工人。玩具厂分散在一条杂弄里,和她小时就读的民办小学校一样,但情形更为局促。工场间是一大间,其实是将底楼的厢房,灶披间,后天井,全打通,连成一个统

间,其余还有几处楼梯间、阁楼间作仓库和备料用。工
场间里,白天都须开着日光灯,壅塞着塑料的甜腥气味。
所有的工序都沿了一条长木案子,依次排列。郁晓秋这
一道是修边,就是把模压的塑料鸭或狗的压边,用剪刀
修齐。活计是轻松的,但不像农田里的爽朗清新,而是
沉郁的。木案两侧,面对面坐着的,一多半是中年女人,
脸色青白,眼皮都有明显的浮肿,因为长时间低头垂目,
颔下都有些赘肉。另小半是新进的知青,脸颊上还有着
室外光线留下的红或黑,也有着室外活动形成的生动。
可到了下午收工之前,脸色也开始转黄和暗淡。男工们
多是搬运,踏了黄鱼车,拉料和送货,在分散各处的库
房,料间,工场之间往来传递。他们给这沉郁的工场间
注入流动的空气。他们一旦进来,长案两边就会有一阵
小小的活跃,剪刀的喊嚓也有一阵子小错乱。这些男女
青年因都是同一街道管属,平时街上过往,多少有些认
识,至少也是面熟。郁晓秋是大家的熟人,没见过也听
说过,此时,从传闻中剥出来,到了眼跟前,先是觉着不

过如此,看久了,却觉着果真有一种不一样。这不一样
不定是在某个部位,而是在流转之中。这个日光灯下泛
着青白的工场间,走进去,须臾间,就会将目光注入她身
上。日光灯平面的光,将她脸部的线条刻画得格外清
晰:上挑的眼梢,双睑的宽幅,唇的曲度,还有皮肤上的
细颗粒,作为皮肤会是粗糙的,但在此,似乎是成为一幅
画的底部,就形成一种浓郁的色调,使这张脸突出在澹
薄的光线之上,变得鲜明夺目。就是这样,在曲长逼窄
的杂弄尽头,阴暗的灶披间改成的工场里,突然,绽开一
朵花。现在,她又有了一个别名,"工场间西施"。是工
场间里那些男知青给起的,比起"猫眼"这别号,形象风
趣都不够,且啰嗦,还一眼可见出处,是鲁迅先生《故乡》
中的"豆腐西施",套用而来。这种风月才情,读书是读
不出来的。但是,这冗长的别号,依然从工场间流传出
来,到了街上,渐渐叫开了。

　　郁晓秋就业的第二年,何民伟也病退回来。就像前
面说过的,此时,病退已经是对知识青年回沪政策的具

体应用,所谓"病",则成为公开默许的作弊。像江西这样工业落后的省份,知识青年大多不能在当地寻找出路,于是,这当口,滞留多年的知青便纷纷"病退"回沪,何民伟裹挟其中,回来上海。户口迁进之后,也闲了一段,但并不长,分到和郁晓秋同属街道的另一个工场间,专加工无线电线圈的,做了工人。现在,他们就在同一条街上做工,再也不必担心分离。然而,早起暮归,两人的休息日又不在同一天,所以一处厮守的时间倒变得有限。晚上可以见面,可这时郁晓秋的母亲又在家中,虽不像何民伟家那么反对他们往来,可总是不方便。两人就只能在马路上逛,或者看一场电影。树影底下,黑洞洞的电影院里,偎依一时,享一享肌肤之亲,到底不够。他们都长了一岁,肉体的渴望抬了头,而且,在这一年的春节里,两人的关系又进了一步。

其时,郁晓秋的姐姐已经结婚,姐夫是与她姐姐同一年中学毕业,分配进电话局的同事。人长得很端正,头发黑亮,牙齿雪白,是俊朗而且热情的青年。他看她姐姐的眼光,是恨不能将他细巧的爱人走到哪抱到哪。

真是难以想象,冷若冰霜的姐姐竟能获有这样热烈的爱

恋。爱情是一桩令人惊奇的事物,它可挖掘出人潜在的

能量。姐夫家住在南京路西段的新式弄堂内,双开间的

一层。家中本有兄弟二人,大的在"文化革命"前大学毕

业,分在北京,早两年结婚成家;小的,留在家中,和新娘

住了朝南两间中不带阳台的一间。这样的家境和住房,

也是令人羡慕的。婚后,两人难得来娘家一趟。姐姐对

这个家,以及她的家人,向来是情感淡漠,谁知道呢,也

许她早就盼着离开家,所以一反常性地对婚姻积极,及

时抓住机会。春节里,本来是要回来的,可她们的母亲

却决定去无锡过年,所以也就顺势不来了。"文化革命"

结束,母亲她们这些老艺人又都活跃起来。无锡那几位

原先是和母亲同在一个滑稽戏团的,出巡演出时,被留

在当地,另成立了一个剧团。艺人们的经历总是复杂

的,所以这些人无一例外受到审查,如今,全解脱出来,

好比劫后余生。多年不通信息的,全又都联系上,于是

走动往来,不亦乐乎。倘不是儿子要来家吃年夜饭,她
母亲是等不得到初一的。郁晓秋的哥哥也在准备结婚,
对方家庭是个干部,增配了一间房。直到此时,他还是
住设计院的单身宿舍。除夕夜一过,家里就只剩郁晓秋
一个人了。何民伟来,两人亲热到不知所措,便开始做
那桩事。虽都是二十三四岁的人了,可对这事却从未受
到过启发教育,真是千差万错,有几回,非但不是亲热,
竟然还有些反目,因为没有找对地方,两边都是着急。
过年新换的床单被里已经一塌糊涂,身上也是汗污交
集。一直从午后折腾到天暗,方才消停下来,可还是不
对。两人都有些悻悻的,又有些尴尬,就像关系要破裂
了一般。但第二日何民伟又来了,两人再次尝试。似乎
是顺当了一些,却因为太过专心于技术,也并没有觉出
多么大的激动和快感,倒不如单纯的亲热来得满足。而
且,从未有过的无遮无掩的二人相向,彼此都变得陌生,
像是换了一个人似的,不免生出隔膜。到了郁晓秋母亲
回来的前一天,两人几乎有些绝望,真怕是再也做不好

此事了,心里简直对男女的关系生畏。他们是饮食男女
的小小人生,纯粹的精神于他们是虚无的,他们必须做
好这件事才行。可他们怎么就做不好了呢? 两人丧气
地搂抱着,赤条条地紧贴一起,何民伟将脸埋在郁晓秋
的头发里,闷声说:郁晓秋,我老是做不对。郁晓秋被自
己的头发,何民伟汗津津的脸,捂得几乎窒息,可也不松
开一点,说:何民伟,是我不对。窗帘上晃着明亮的光
影,窗缝里挤进市声,有孩子的欢叫。他们就像两个离
世的人,孤独地相守着。就在这哀伤的时刻,突然间涌
起了激情,他们真切地感受到对方的肉体,缠绵着丰盈
极了的欲念。这一下,他们可是无比的亲热,亲得呀,打
断骨头连着筋! 外面那亮堂堂的世界算什么,压根儿比
不上他们心里的光明。他们终于领略了肉体的好,肉体
里蕴藏着的丰富的,柔软的,不停滋生的爱意。现在,他
们想结婚了。

何民伟家中,对他们俩的来往,依旧是眼开眼闭,但
却不是原先的默许的意思,而是,不当你们是回事情。

自何民伟回到上海之后,他父母的态度就又跟着何民华
走了。那时候,是没办法的办法,现在不是不同了吗?
他们自然是希望何民伟更好一点。对郁晓秋的成见这
时候又回来了,还携带了新的内容,那个男工们无聊而
起的别号:"工场间西施",就是其中之一。这别号里的
意味,是叫正经人起腻的。现在,两个妹妹也长成大人,
跟了姐姐一同鄙夷郁晓秋。像郁晓秋这类女性,最是会
让人害怕自家兄弟落入她手,她们有一种慑人的魔力似
的,会叫人魂不归舍。妹妹们竞相把自己的女友介绍给
哥哥做对象,其中有一两位,还真可以考虑。何民伟自
然是不理睬。何民华已嫁到婆家,并且怀了孕,不方便
监视他行动,所以他和郁晓秋的往来便也走了明路。到
底是已经成年的儿子,父母真也没法管,只能在心里气
和急,但也守住了一条:不表态。何民伟有时通报一声,
今晚和郁晓秋有事,不回家吃饭,带着些知会的意思,他
家大人就不应声,装听不见。何民伟生性不是反抗的,
除此也没有他法。有几次,他邀郁晓秋上他家,郁晓秋

想想还是不去。一是不想把事情弄僵,二也是自尊心不允。因肯定要受冷淡的。然而,要想结婚在一起过日子,家长这一关却一定要过。如今,两人在一起,就是商议这个。商议来,商议去,还是没办法。最后,脾气上来了,想:就是结了又怎么样?反正他们要在一起,定好各自回家去宣布。何民伟趁着一股子气的劲真和他母亲说了,母亲说要和他父亲商量。看到母亲没有一下子回绝,甚至态度还很平静,何民伟心头就起了一线希望。母亲老早准备着儿子给她下最后通牒,终于下了,反倒松一口气,可以施对策了。郁晓秋这边比较简单,何民伟频繁出入她家,她母亲见过,自然看得出小孩子间的意思。以她有阅历的眼光,她既不以为何民伟有多么出色,但也不是轻薄无聊之辈。她且不是那类事事计较的母亲,因晓得凡事自有定数,就采取无为而治。郁晓秋和她说时,她正在麻将桌上,只答了一句,你的事自己定,吃亏别来找我。郁晓秋便知已经通过了。过了两日,何民伟方面的消息也有了,母亲对他说,婚姻自主,父母也不能干涉,不过,这是他自己找的人,并不是经父母同意的,所以就不打算与他们生活在一起。言下之意是,不能给他们房间。何民伟家的住房是一大一小,小间朝北,九个平方,从小是他住,不用说,也是给他做婚房的,现在则被收回了。何民伟一听便知道是何民华的主意,做父母的一般不会这样为难儿子。他去和郁晓秋说,两人都觉得事态不像原先以为的严重,不给房间就不给房间。郁晓秋回家再向母亲提,能不能将房间隔一小半给他们结婚,很多人家都是这样解决婚房的。母亲也是在麻将桌上。自麻将解禁以来,每个周日,母亲开一桌麻将,牌友都是剧团里一帮旧人,郁晓秋喊着爷叔伯伯长大的。多年没有往来,现在又到了一处。奇怪的是,他们都没有太大的改变似的,除去或瘦或胖,多一些皱纹而已。他们喉咙一概很大,操着各路方言,并非真是本籍贯所生人,而是为了发噱。他们依然是油滑的,可却不失为人本分。那位何师已去世,他们一律都戴了孝。母亲一手举了烟,一手熟练地将牌列成一行,先是要呛郁晓秋几句:没有房子还要讨娘子啊!牌友们便打圆场:送你半个儿子你不要? 俗话不是说,一个女婿半个儿。她母亲说:一个儿子又如何? 再又对郁晓秋道:楼上的房子是"文化革命"当中收去的,你有本事去要,要回来,就归你们。大家也都说这主意好,一间正气的朝南房间,又是同大人可分可合,再理想不过。郁晓秋领了旨,赶紧向何民伟报告,两人都很欢喜,觉着要回收去的房子,理所当然。不料,一上来就吃了钉子。到房管部门,人家第一句就问:公房私房? 回答是公房,立即打回说不在落实政策之列。赶紧找了有关政策条款看,果然只针对私房的侵占,但也未明说公房决不该返还。他们再去房管部门力争,说明当时收走房屋是在房主遭受不当迫害之时,郁晓秋还从母亲剧团开来证明。去时剧团正在开排新戏,讽刺"文化革命"中,医护人员做杂务,杂务工做医护,闯下穷祸无数。人马还是原先那些,除略见老一些,亦无大改。只是见到何师的位置,由原先坐次座的琴师顶上,方才有些许人事沧桑之感。郁晓秋开来的证明,写明是在错误路线时期,收走的房屋与存款,存款亦已归还,望房屋部门也尽力落实拨乱反正。房管处的态度却很蛮横,坚持公房是租赁关系,一旦解除,就要从头再来。他们声称是依照政策办事,政策上有哪条说公房也须归还?说到此,又追上一句:要说还,还给谁?在你们家之前的租户来要,我给不给?分明是不打算讲道理。他们憋了气,找到上一级的房地局信访办,排队等了半天,方才轮到。接待的人倒很礼貌,而且不把话说死,说倘若现在的租户同意让出,此事还可以协商。现在的租户其实就是楼下小百货店,租了来作货栈,再放一张办公桌,坐一个职员做账。就是当年带郁晓秋去隔壁弄堂小学校食堂蒸饭的那人,现在升了财会,每天一早一晚从二楼经过,上楼或是下楼,看见郁晓秋像是不认识。倒不是说有什么架子,而是因为郁晓秋已从小孩子长成大人,似乎不晓得如何对待,就生分了。多少年来,那人渐渐的白和胖,就在白和胖间,成了一个谨慎沉默的中年人。郁晓秋趁他从二楼走过时,喊住他，与他谈了这事。他略有些惊慌，措手不及的样子，然后说了些同情的话，又说一定将她的意见转达领导，因他是不好做主的。大约过了一周的光景，郁晓秋又喊住他，问他请示有没有回应。他的表情就好像不记得有这回事，恍然想起了，他连声道歉，说立刻就去请示。再下一次，还是郁晓秋喊的他，问他回应如何。他流露出遗憾，说领导不答允，他也很为难。郁晓秋从他白皙的脸上，两个略微下垂的眼袋上的眼睛里，看出狡黠来。她想，这个人从来不诚心，与母亲那些艺人同事相反，在他呆板的表面底下，其实是真正的油滑。

这一阵子，大约有三四个月，郁晓秋与何民伟就在跑这事。他们跑得很没章法，凡接触到事情实质的，又总是碰壁，这时才觉出两边大人给他们出的题目有多难。因为跑房子，不时要向郁晓秋母亲汇报和讨主意，所以何民伟同她母亲接触也多了。十有九回，她母亲是在麻将桌上，牌友都有些粗俚，言语轻浮泼俏，不是何民伟熟悉的一路人。其中有个老娘舅，看起来与她母亲又

有些暧昧,用一把紫砂壶喝茶,有几回送到她母亲嘴边,
她母亲眼睛也不回,歪了嘴喝几口,老娘舅再接着喝。
何民伟实在是不惯得很。加上在外吃了瘪,到她母亲跟
前,还要再受讥诮:男人家,一个巢筑不起来,讨什么娘
子? 心中自是越发反感,脸上也挂了下来。她母亲并非
不晓得这事的不易,但她也要试试未来女婿的能耐。其
实心中已经做好隔房间的准备。郁晓秋可说她亲手带
大,留在身边是称她心愿的。但她看不来何民伟的脸
色,对了郁晓秋,实际是说给何民伟:搞不定就搞不定,
拉长脸给谁看? 郁晓秋是吃惯母亲排揎的,并不觉着什
么,所以也体会不大到何民伟的心情。有一日,两人趁
了家中无人,在床上亲热,完事后躺了闲话,何民伟说了
一句:你和你母亲一点不像。郁晓秋就有些不悦,说:我
是她养的,怎么不像? 何民伟没想到郁晓秋突然变得尖
刻,觉着很不像她,倒真是像她母亲。他当然不会想到
郁晓秋在母亲私生她这一点上,心里有忌讳,总防着别
人指责母亲不检点。何民伟说她不像母亲不定是指哪

一点,她就也往这上面想。两人闷闷地躺一会,各自起来穿衣下地,也没道别一声,何民伟就走了。虽然是一句话不对,可前段的不谐到底是积淀的,有些一触即发的意思。一次别扭之后,事情就变得不那么顺当,两人其实都加了小心,反而不自然。房子的交涉还在进行,谈不上是争取,倒好像专门找气受。慢慢地,就搁下了,结婚的事便也随之搁下。

结婚的事一旦搁下,两人在一起似乎就没什么可做的了。何民伟倒是更经常来郁晓秋家,但并不是因为他习惯了她母亲的作派,相反,他坐在这里,心情抑闷。可是,不来这里去哪里?看电影,逛街,已经过了那个劲,早说过,他们都不是那种务虚的男女。郁晓秋家常是一桌麻将,桌上方香烟缭绕,在日光里,有一股令人倦怠的迷蒙。倘是晚上,电灯光下,便是颓靡的景象。虽然,她母亲已经松口,隔房间给他们,可他对与她母亲同住的前景,极度没信心。何民伟的心情,消沉下来。有时候,郁晓秋母亲晚上演出,空出房间,他和郁晓秋亲热,也不太能提起劲。那件事他们已经比较能掌握了,但因次数少,远还不应该到熟腻的程度,事先他也有一点期待的兴奋。可等完事,他会觉着:不就是这样? 竟有一种灰心生出。郁晓秋也是觉着,事情不如以前那样美好,但她归结于房子一事没有落实。她头脑简单得多,惟其简单,反能抓住要点,却也忽略了许多细节。何民伟有几次该来的时候未来,她并不放在心上,渐渐地,何民伟来的次数便稀疏下来。

何民伟的父母自从表态以后,再不提此事,儿子的婚事与他们无关似的。以他们的世故,还有何民华的耳目传递消息,晓得那头进行得不顺,也还是不提不问。是他们的儿子,并不想叫他难堪,谁说得准呢? 也许事情会有转机,他们也要留他回头的余地。其时,家中常来一个年轻的女客,是大妹还是小妹的朋友。一来,总是与她们一起,三个人叽叽哝哝,有时还留下吃饭。何民伟正眼都没看过一下。因家中都是姐妹,人来客往多是这类女孩,随了姐妹们的年龄增长,一起从小孩子到了大人。他从来嫌她们聒噪,而且事多,一会儿好,一会儿坏,不予理睬。这几个厂礼拜,他都在家,方才与这女客说上几句话。有一日下午,还跟三个小姑娘一起看了场电影,就算是认识了。晓得这女孩名叫柯柯,不是大妹,也不是小妹的朋友,而是他母亲同事的小孩,然后才和大妹小妹做了伴。她要比何民伟低三届,七三届的,刚从崇明农场上调回来,在一家厂的计量科做学徒。又还知道,柯柯是独生女,底下还有一个弟弟,在读高中。柯柯和大妹小妹很玩得来,礼拜日几乎都是在他们家里过。何民伟就发现,柯柯长得很清丽,皮肤特别白皙,一笑,便露出一口洁白的糯米牙,头发很柔顺地梳在耳后,扎两个刷把辫,前后都遗漏出些碎发,也是柔软的。柯柯整个人都显得娇嫩,清洁。有几次,柯柯在家吃晚饭,饭后,母亲让何民伟送她上公共汽车,何民伟没有拒绝。然后就有一日,说好一起去看电影,大妹小妹却临时有事,不去了,只剩下何民伟和柯柯两个人,何民伟也去了。再过后,柯柯就不来了,母亲说了几遍,要送柯柯的母亲一样难觅的吃食,柯柯老不来,他就只好去跑一趟了。于是,何民伟就去了柯柯的家。柯柯家是在他家所住的这条马路的西端,一幢花园洋房里,底层一楼朝东的一间。倘是过去一户大人家住,这间可能就是书房。朝东的一面呈半圆形,一排长窗,挂了白色的扣纱网眼窗帘,放一张长沙发,晚上,沙发前边拉起一幅浅花帘子,就成了柯柯的闺房。洋房里房间很多,住了不低于十户人家,照理是够杂沓的了,但因为围绕着一个花园,就有了静谧的气氛。

不能说何民伟猜不出家人的用心,也不能说何民伟看不出柯柯的心思,他多少有一点顺水推舟。心里明白发展下去有危险,他却不去多想。所有的明知故犯都是这样不去多想,走到哪算哪! 为了一时的攫取或者说只是一时的逃避。柯柯,及柯柯的家,家中为她辟出一小角闺阁,都有着冰清玉洁的气息,更比出郁晓秋家中的阴暗,甚至污糟。郁晓秋也变得不洁净了,她的那些别号,"猫眼","工场间西施",都散发出晦涩的浊气。现在,何民伟十分不公平地认为,他和郁晓秋性上面的事情都有着污秽气了。他们共同学习走过的那一段路,其中的狼狈,尴尬,挫败,全变得不堪,使人受了污染。他隐约有一种愿望,就是洗刷过去,从头开始。但他其实还处在含混中,所以,一边去柯柯家,一边也去郁晓秋家。郁晓秋家,不知从什么时候,收起了麻将桌,牌客也散了。可气氛并没因此变得明朗,而是更加沉郁。她母亲只要在家,就是肘撑在桌上,擎一支烟,眼睛望着上方的某处,不知在想什么。社会变得开放,她母亲的装束也改了,她开始化妆,烫发,佩戴项链和耳环。这些修饰并没使她变得好看,反而更加见其苍老。脂粉,发型,首饰的黄和亮,都衬托出她的与其不适宜的年纪,几乎有一些滑稽。何民伟心思是有所转移了,否则,他会觉出这个家庭里,正发生着某种事端。在此期间,他依然有过几次,和郁晓秋做爱,他不顶专心,郁晓秋也有点不专心。他没觉察出来,郁晓秋呢?似乎也不想与他说什么。毕竟这一段,两人是疏离了。

事情出在郁晓秋的哥哥身上。正临近婚期了,她哥哥却被收容审查。原来是,"文化革命"中,他犯下了一条人命,一个老教师,死在他的手中。当时学校开批斗会,批斗这个曾在国民党陆军学校任过教官的数学教员。学生们批着批着激动起来,就有人动拳脚。那老教员亦是个犟种,就是不服软,很快就被推搡在地上。这时候,她哥哥上去就是一脚,当场就没了声音。送到医院,拍了片子,肋骨断了一排,有刺进心肺的,几小时后就大出血身亡。所以,医院里就留有病历纪录,加上当时在场的证人,她哥哥这一脚是有目共睹的。这也很像她哥哥的作风,总是一下子,下手极狠。其实,他与这老教师并没有私仇,从公处说,也不是特别罪行重大的要人。可她哥哥,天性里就有暴戾残忍的一面。原先想不到会有事,运动嘛,她哥哥兴许都不记得有这么个冤魂了!可也是宿债必还,如今重新来算这笔账了。先是"讲清楚",后又转入刑事,检察院提起公诉。郁晓秋对这哥哥除了一个"畏"字,再没别的了。但家中与官司有牵连,在这市中心区,本分保守的市民堆里,人前便低了三分。她没告诉何民伟,可何民伟还是知道了,住在一条街上,有共同的熟人,他家人又格外关心郁晓秋这边的动静。只是郁晓秋不提,他也不提,心里觉着这家人事多,又是这样的事,不禁更生嫌恶。两人在一起时,他比往常沉默,郁晓秋猜出他已知道,因不想求他安慰,继续不提。岂不知,两人的隔阂又深了一层。半年之后,法院判决下来,十年的徒刑。等人收监后,方可与家人会面。郁晓秋陪母亲到提篮桥监狱去,早上七时等起,近十时才轮上,隔一扇窗,里外坐着。哥哥剃短了头发,穿了蓝白条纹的囚服,见她们来,面上漠然得很。而母亲一见他面就收不住了,放声号啕。这一子一女都想不到她哭的是什么,她是在哭二十多年前,与他的父亲,也是这么一里一外,咫尺天涯的。那时候是他哭,她不哭,因她是有理的一方,不仅有理,还有时间岁月,能将命扳过来。现在,她依然有理,可时间岁月到了尽头,命没有扳过来,反又扳过去了一尺。她是两回并一回哭的。郁晓秋从未见母亲如此大恸过,吓坏了,看对面哥哥,却并无戚容,还有厌烦之色,就又吃了一惊。好在会面时间已毕,她与母亲得以离开。这一日,她很盼何民伟来。内心受了大震动,真的想与所爱的人在一起,亲近一阵,也会得点抚慰。可是何民伟这天偏偏不来。母亲早早睡下了,郁晓秋一个人面对窗外,梧桐叶遮了路灯,浮光上面的暗夜,心里忽感到了害怕。

第二天晚饭后,郁晓秋去了何民伟家。她并没敲门,只是在楼下朝上喊何民伟的名字。这是小孩子找朋友的方式,像他们这样的大人,已经不合适了。有几扇窗推开来,伸出头往下看她,使她感到气馁。喊了几声,何民伟家有人回应她了,是何民伟的大妹,说何民伟不在家。她问去哪里了,回说不知道,就拉上了窗扇。这样一上一下,大着声量说话,一条后弄就都知道她碰了钉子。郁晓秋有了气,过一天还来,何民伟就好像也有气似的,还不在。第三天是郁晓秋的厂礼拜,就找去何民伟所在的工场间,何民伟踏一辆黄鱼车正出弄堂,迎面碰上,两人都怔一下。其实只有几天没见面,可彼此都觉着变样了。郁晓秋正是气色不好的时候,脸发暗,皮肤显得更粗糙。只有眼睛的线条没变形,还是清晰的双睑,长而上挑的眼梢,明亮的瞳仁,在颜色沉暗的脸面上,有种炯炯的逼人的神情。何民伟不由避开眼睛,嘴上却笑着说:这么巧,碰到你。郁晓秋说:怎么是巧? 是我专门找你。何民伟说:有什么事吗? 我晚上到你家去。郁晓秋说:你多少天不来了? 我连找你两次,都找不到。何民伟就说:你何必去那里,你知道我们家人对你不客气。这句话是体贴的意思了,两人默了一时,过去的亲密无间的时光又回来了。何民伟最后说:今天晚上我一定去。说罢骑动了黄鱼车,郁晓秋望了黄鱼车骑远。中间,何民伟回过身望了一次,见她还站着,就招了招手,示意她回去。两人都有些戚然,不知为什么,感到酸楚。

这天晚上,和祥地度过了。何民伟下班后就来到郁晓秋家。吃罢饭,她母亲一个人在桌上玩通关,逢到翻牌,用右手留长了的小手指甲,轻轻将牌一铲,牌便翻过来了。郁晓秋在水斗洗碗,何民伟立在一边看。看她将碗从清水里一只一只捞出来,揩干,积成一摞,送进碗橱。后来,她母亲睡了,两人就在外间,一人坐一把竹椅说话。谁也没有提及何民伟不来,郁晓秋又找他的事情。在这静谧的时分,两人都不相信,将有什么变故发生,他们如何会有别种选择呢?他们都已经这么,怎么说呢? 这么好了。在外间过道上一盏二十五支光的电灯下,后窗里再透进一些幽暗的光,郁晓秋的脸色变得清澈多了。多日的焦虑,愁烦,此时沉淀下来,她几乎有些接近柯柯的皮肤了。何民伟发现自己在拿郁晓秋和柯柯比,心里觉着不妥,但很快就跳开了。两人坐到九时,因第二日都要上班,何民伟就起身下楼。郁晓秋要送他,其实不必,因两家只相距大半条马路,即便在热恋时,他们也不兴送来送去。果然,没走一会儿,就已经到何民伟家弄堂口。何民伟说,我再送你回去吧! 于是,又送郁晓秋。还是没几步。郁晓秋就再送何民伟。这么来来回回地走了几遭,马路上已经清寂下来,路灯在梧桐叶间照着,柏油路面起了一层反光。最后,还是何民伟将郁晓秋送到家门,两人在月光清朗的后弄里分手,互相看了会儿投在地上的影子。这是这个夜晚里叫人不放心的一点,他们不自觉地流露出惜别的情绪。虽然,他们谁也没有想过分别这一回事。

之后的日子,何民伟是三天不来,两天来地过去,郁晓秋渐渐也习惯。她母亲有一次,却像突然想起地,问她:你那个朋友怎么不大来了?郁晓秋方才想起,她有整一个星期没见到他了,可她并没怎么觉着。倒不是说郁晓秋对何民伟的感情有所淡漠,而是,在这样长久固定的亲密关系里,所产生的无条件的信任。后来有一天傍晚,郁晓秋下班从工场间的弄堂里出来,临时想起母亲嘱她去药房买一些消毒用的灰锰氧,便调头朝反方向走,药房在何民伟家所在弄堂的隔壁。走过何民伟家弄堂,她转头往弄堂里望了一眼,因知道这日是何民伟的厂礼拜,想他会不会正在弄堂里。她一眼就看见了何民

伟,来不及喊他出声,就看见他身边的柯柯。郁晓秋不
是个量小的人,不轻易生疑,但这一段疏远的日子,当时
没什么,过后还是留存下来忧虑。她就有些心惊,想这
是个生人,不曾听何民伟说起过的。她本能地向弄堂里
跑了几步,追向他们去,可又刹住脚,心怦怦跳着。她其
实是怕,怕真有什么事。她退出弄堂,也忘了去药房,而
是往回走,到了家。这天晚上,何民伟却来了,是送走柯
柯以后来的。郁晓秋屏了一会儿,才说今天走过他家弄
口,看见他了,和一个女孩。何民伟立即回说是他母亲
同事的女儿,郁晓秋噢了一声,心里却想:因自己的事何
民伟与他母亲一直不和,怎么会替母亲招待同事的小
孩?郁晓秋忽然变得心细如发,是因为多日来的积虑。
可她还是怕,没有追究。而这一日的遭遇就像是个开
头,自此,郁晓秋就常常遇到何民伟和柯柯了。他们住
得那么近,进来出去,不碰上才叫巧。每一回,郁晓秋都
绕开他们,不与他们走对面。而她觉着何民伟他也是,
分明看见她的,却作看不见,绕了过去。她有一次还看

见柯柯单独一个人,她这才敢好好打量她。郁晓秋苛刻地挑剔出柯柯好些不是:头发稀薄,单眼皮,瘦。她一直看她进了何民伟的弄堂,最后她依然得向自己承认,这是一个好看的女孩。很明显地,柯柯已经介入到她与何民伟之间了。倘是局外人,一眼便可明了,可郁晓秋却还是不信,她甚至都没有向何民伟质问过,理由还是那个,他们已经,已经那么好了。可是,何民伟来的次数又稀疏了一些,他们的关系其实处在了"若即若离"。郁晓秋有次走过药房,不知怎么进去了,走到免费发放避孕药物的柜台,厚了脸皮向里边的人领了一包避孕药片。她从来没有服用过避孕药,他们也从来没有闯过祸,而且,他们已经相当久没有做那件事了。

然后,何民伟彻底不来了。郁晓秋没去找他。从小到大,郁晓秋始终在受挫中生活,别人或许以为她能忍,其实不止是。她经得起,是因为她自尊。简直很难想象,在这样粗暴的对待中,还能存有多少自尊。可郁晓秋就有。这也是她的强悍处,这强悍同是被粗暴的生活磨砺出来的。因这粗暴里面,是有着充沛旺盛的元气。

郁晓秋不去找何民伟,结果是,何民伟来找郁晓秋了。

见面第一句话就是:你怎么不来找我? 这话说得无理,

可也看出他的心虚。郁晓秋并不作答,只是看他,就像

晓得这个人是要保不住了,就要把他的边边角角全看进

去,存起来。她的眼睛显得格外大,因为人瘦了。本是

褐色的瞳仁,颜色越加浅,几乎是透明的。何民伟都要

从中看见自己的影像了。他丧气地低下头,嗫嚅了一

阵,辨不清他的词和句,但意思总归是,双方了解还不够

成熟,这段时间的疏离就是证明,所以,还是分手的好。

郁晓秋反问了一句:你说我们了解不够吗? 何民伟又嗫

嚅了一阵。之后,郁晓秋又作了几次反诘:你说我们不

够成熟? 你说我们性格不协调? 何民伟则以一阵嗫嚅

来回答。郁晓秋也哭了,说了些"你没有良心"、"你要后

悔的"之类的话。但是,令何民伟意外,而又感激的是,

郁晓秋并没有说"我都和你那样了"的话。她没有用这

个来要挟何民伟,而这是在此类男女谈判中的一道杀手

铜。这一场谈判,比他俩原先准备的都要平静和简单。因为双方都明白,之间的关系,大势已去,无力挽回,只不过需要一个仪式罢了。

何民伟和郁晓秋交割完毕,以下的事情就顺当了。不用说,新房做在亭子间里。何民华派了自己的丈夫和手下几名徒弟——她已经带徒弟了,派了来粉刷,打蜡,装壁灯,顶灯,窗帘盒,将个九平方装饰成个小宫殿。何民伟只管和柯柯逛家具店和电器店。何民伟早工作几年,但工资不高,所以没什么积蓄,柯柯也没有。这并不是问题,因是双方父母撮成的婚姻,两家大人都情愿掏钱,连何民华都出了一笔可观的钱款。他们的婚事办得很是富裕,酒席定在新亚酒楼,总共十桌,又拟定旅行结婚的计划。凡是这个年头有的,他们都有。可是,何民伟渐渐有些烦,他没想到结婚的事务那么琐细。他不像柯柯,是女孩,对自己的终身大事很看重,许多要求其实都出自,期望受到珍惜。而且,他是有过恋爱经历的,又相当冗长,心理上有些疲了。当然,这一个不是那一个,但在何民伟来说,时间上却是排序着。他是想快些结束这些准备,好进入另一种状态,婚姻里面去。同时,办婚事的过程中,他还发现柯柯的母亲也不是个省事的,亦开始令他生厌,是另一路的生厌。临到结婚,她似乎突然不舍得把柯柯给何民伟了,要求层出不穷,几乎像在为难何民伟。要拍婚纱照,放成二十四英寸大,挂在新房。于是新房里涂料粉刷的壁就显得寒碜了,要贴墙纸。酒席忽却多出一桌,加上去,是十一桌,单数又不吉利,再加一桌,凑十二桌。人数且不够,就要搜罗亲朋好友,最后是从苏州请来一家故旧,于是便要安排食宿。何民伟被烦不过,不免会想到郁晓秋,想要是他和她,她母亲是决不会有这么多花样的。柯柯的母亲在提要求时,总是从旁提醒,何民伟是集体所有制的单位,而柯柯则是全民企业,比方说,"不要让柯柯的朋友同学觉着,柯柯嫁给生产组的人是委屈",等等。使得何民伟不能不多加小心,有时竟是在曲意奉承了。就这样,好不容易捱到喜期,何民伟在疲惫的心情下,走入婚姻。

其时,郁晓秋的生活被另一桩事占据着,就是她姐姐的生产。她姐姐怀孕的事本来都没有告诉娘家人,可临近产期,不免慌了。郁晓秋的姐夫前一年考了北京的大学读研究生,两人就暂居两地。说好分娩时回来,可谁知道什么时候分娩呢?虽有公婆在身边,总不好意思事事麻烦。到这时,就还是要找至亲的人。母亲自己生了三个孩子,不以为生产是什么难事,但想到这是头生,还是派郁晓秋去,陪她姐姐睡觉。她们从小不亲近,此时亦是不亲。从小作下的习惯,在哥哥姐姐跟前,郁晓秋的活泼劲立刻就收起,再加上这段日子的挫折,不觉变得沉闷了。人家以为姐妹俩睡一张床,有多少心里话要说,岂不知她们背靠背的,连一句问候都没有。郁晓秋一是受拘束,二也是不想麻烦姐姐的公婆。她每晚吃过饭,洗过手脚,才往姐姐家去。姐姐已经睡下,在浴间里留下几件要洗的衣服,她顺手就将老人换下的衣服一并洗了,晾在楼梯口上方横架的竹竿上。姐姐婆家的浴间挺大,四周贴有洁白光亮的瓷砖,郁晓秋将自己洗净

的手绢,贴在瓷砖上。于是,素白的壁上就有了一小帧
颜色鲜艳的小画。一早起来,也是不吃早饭不用厕所,
回到自己家中进行。此时,姐姐还熟睡着,窗帘拉得很
严实,房间里暗暗的,打蜡地板发着幽光。郁晓秋蹑着
手脚,像只猫似地悄无声息。这个房间是一个封闭的世
界,她只能从它的边上滑过去。当她轻手轻脚溜似地下
楼去时,有时会碰上姐姐的婆婆,正从浴间出来。一个
宁波老太,灰白的头发整齐地梳齐在耳后,紧俏的脸型,
皮肤还很白皙。她目光严厉地对着郁晓秋点点头,算是
招呼过了,然后径直回了房间。也有一两次,她并没有
进门,而是看着郁晓秋的背影消失在楼梯口,心想:这姐
妹俩多么不像。这家公婆对自己的媳妇,多少是碍了儿
子的面子,有些供奉着的,平日里相处很谨慎。这媳妇
进门多年,与他们却好似路人,与她自己娘家也极少往
来,也是形同路人,性情竟淡漠至此。有时候,听小两口
掩门在房里说笑,他们都会疑惑,这难道是同一个人吗?
他们对她,谈不上喜欢,也谈不上不喜欢,因她与他们到

底没有过龃龉。他们是连面都见不上几回的。她总是在自己房里，将门关上。自儿子上北京读书，老人甚感寂寞。现在，来了一个郁晓秋，虽然早出晚来，听不见一点声气，他们甚至都没看清过她的长相。可是，一夜之间，晾在楼梯口竹竿上的衣衫，还有她在浴间里随手归置好的物件，瓷砖壁上的花手绢，总带来一股清新活跃的气氛。他们内心里开始希望她能在这家中多留些时间。有一次，早上，她婆婆遇着郁晓秋，点了头之后没有放她过去，而是说：吃了早饭再走吧！不料她惊了一跳，一边摇头一边绕过去下楼梯，差点跌下去。她看见这女孩子的一双形状特别的眼睛，眼睛里的神气照亮了肤色暗淡的脸。像她这样古板又挑剔的老太，通常都是喜欢白净细致的女人，所以觉着郁晓秋是不如她姐姐好看，可也觉着她姐姐好看是好看，却像个玉琢的，不如妹妹活泼。

郁晓秋的姐姐很准时地在预产期里，开始阵痛，送去医院，又过了两日，才进产房。此时，姐夫也已从北京的大学请假回来。郁晓秋从姐姐进医院那日起,就住回自己的家,每天下午负责送些汤水去探望。一日清早,姐姐产下了一个六斤重的男婴。生产过程算是顺利,只是依医生说法,"胎盘早剥",产后一直流血,到了下午竟发生休克。诊断为"羊水栓塞",立时下来病危通知。到晚上,人却又苏醒,流血也止住些。病家都不太懂医术,从没听过"羊水栓塞"这个病名,但只见医生紧张,眼面前却是一个活生生的人,总不相信会过不去。平稳了两日,再又不好,人事不省的样子,这才真正急起来。姐夫当场给医生跪下,求他们救命,亦无人理他。各科医生在病房走进走出,各种药水器械挂上去,又忙了两日。姐夫一步不离,吃睡都在边上,短短几日,人已憔悴得不成样。这天中午,郁晓秋去,见姐姐像是好些了,半睁着眼睛,护士问她,这是谁?她说出两个字:妹妹。郁晓秋从不曾听她称过自己"妹妹",听了自然是辛酸。有限的几次姐妹相处涌现眼前:她到医院探望生肝炎的姐姐,两人面对面嚼吃肉脯;哥哥打重她,姐姐发出的一声厉叫;还有那些背对背睡一张床的夜晚。姐姐其实非常寂寞,郁晓秋甚至认为姐姐生活得还不如自己,虽然自己恋爱惨遭失败。她想起小时候,姐姐去认她父亲的情景,父母兀自激烈地争辩,她被忘在一旁,踩着甬道边沿的花砖,两手张开,双脚走成一条线。这天夜里,姐姐去世了,姐夫哭也哭不动了,一头栽倒,接下来就是抢救他了。混乱中过去一周时间,那新生的男婴在婴儿房里,没人想起他来,全是由护士喂养着。这时,到了该出院的时候,大人的事却还没消停,结果是由郁晓秋领回家去的。

母亲在提篮桥监狱,对了哥哥那一场大恸,似乎不止是替过去哭,也为后来哭过了。姐姐的事,她并没流多少眼泪。郁晓秋带回的那婴儿,她并不去抱,也不走近,只是看着。有几次,郁晓秋喂过他吃的,转身放下他在床上,发现母亲正从背后看着婴儿,此时则把眼光移开。她的眼光很奇怪,带了一种匪夷所思的表情,不明白这个叽叽哇哇的小东西究竟从哪里来。过了一周,郁晓秋将婴儿送去他祖父母家,姐夫已经走了,临走都没想起看一眼儿子。他心里恐怕是恨他的,恨有了他才没了他妈妈。郁晓秋把婴儿交给他祖父母,交代了吃睡的习惯,放下提来的一大包尿布、奶瓶,走了。回到家,母亲见她空了手,劈头问出一句:人呢? 郁晓秋方才想起送走前并没有告诉过母亲,她以为母亲是不关心这件事的。不过,母亲问过一句亦不再提。下一日,郁晓秋又去姐夫家,将余下的婴儿乳品,衣裤鞋袜送去。当她接近婴儿时,婴儿竟像遇到熟人似地,朝她怀里一顶。郁晓秋心头一热,看着怀里的肉团,眉眼已可见出几道线,分明也是个人,有知觉的,不由搂了搂。自后,她每日吃过晚饭就跑去抱那婴儿,也与老人们替换替换手。他们都已年过六十,不是带孩子的年纪,可是又坚决不用保姆,是不想让外人分享他们的骨肉之亲。于是,郁晓秋便成了惟一和重要的援手。她每次去,坐也不坐,立时将积下的一盆尿布洗净晾好。倘是雨天,再将半干的尿布熨干,叠齐。再又哄婴儿一时,让他入睡。厂礼拜的一日，她一早就来，路上买了当日的菜，趁婴儿上午一小伏觉，拣菜洗菜淘米。冲好的奶粉温在热水里，那边人一醒，未哭出声，奶头已将嘴堵上。老人借此可歇上一日，还有郁晓秋一起吃午饭和晚饭。这个老的老、小的小的家中，有了一个壮年人的走动，方才不显得孤寡惨淡。有的礼拜日，是前一晚郁晓秋就把婴儿带回家，与她同睡一夜。她母亲依然不沾手，只是看。看的神情很专注，那婴儿就怕她，只要郁晓秋，方一离开，就哭。婴儿的哭声很嘹亮，吹哨子一般，郁晓秋就哄。说好话不行，还要唱，家中亦变得喧哗。就这样，郁晓秋和这个婴儿，也是她的外甥，在两个忧伤的家庭来往着，传送一些儿热闹。

因不是喂母乳，婴儿特别容易得病，前几个月尚好些，有胎里带出的抵抗力，几个月后就几乎平均每两周必发一次烧。两个老人真是照应不过来，有时郁晓秋上着班，电话打进工场间，把她叫走。有一日，孩子的祖母与她商量，能不能请长假带这孩子，工资由他们给付，口

气有些像在洽谈保姆。郁晓秋自然回绝了,说自己会经
常来。孩子的祖母立即说了一句:你不要多心,我们是
将你当自己的女儿。郁晓秋很少听这样表达感情的话,
不由对这个表面厉害的宁波老太心软。后来,她又对郁
晓秋说过此类的话,是这样说:我们倒没把你姐姐当作
自己女儿过。说出口又惶恐起来,觉着不妥。郁晓秋只
觉着老人可怜,渐渐也多少有些生情。他们是待郁晓秋
好的老人,不是那种至亲的随意的好,但惟其不是随意
的,才是小心与温和,没有一丁点伤害。有一回,婴儿是
在郁晓秋家过夜时骤起高烧,郁晓秋抱他去地段医院。
急诊医生看了郁晓秋,怔一下,不由多看几眼,然后问:
你认得我吗?郁晓秋也一怔,却是不认得。那人笑了
说:我却认得你。一边低头给婴儿听诊,不外乎是伤风
感冒,开了针剂和药粉,一边笑。郁晓秋颇觉尴尬,真想
不出面前这瘦长身材的医生在什么时候与她认识过。
待要离开,那人才说,你小时常到我家来,和我妹妹玩,
又说出他妹妹的名字。这才想起是隔壁公寓弄堂内,那

小女朋友的哥哥。当时她并没怎么注意过他,因他特别的安静与腼腆,现在却有些饶舌,不大想让她走似的,沥沥渐渐地告诉她,他和妹妹的近况。他们都已结婚,妹妹和妹夫都在读研究生,虽是带薪,但只是一点生活费,还要靠父母,不过,读出来以后会找到好工作,因读的是法律专业,在美国,最富的人是两种,一种律师,一种医生。他看看自己身上的白大褂,笑说,那边的医生不是他这样的可以比,他的月薪和一名操作工没两样,不过,也够了,因他妻子从事特殊工种,就有某种津贴,总之,就这样吧,也没什么!说不出他是抱怨还是满意,或者两样都有。也许是值夜的寂寞,他翻来覆去地说着。看来,他还记得郁晓秋,但是可能已不记得对她的少年之爱,否则,不会这样絮叨,不怕人嫌烦。郁晓秋几次要打断他,好带婴儿去打针。他好像也看出她的心思,说陪她去。到了打针处,还要继续说,却让婴儿挨了针的哭喊搅扰了,只得停下。郁晓秋趁机携了婴儿,逃跑似地走了。她抱着婴儿,走在夜深人静的街上,心里格外的宁静。她就像一个站在了岸边的人,看见已是隔岸的人和事,是她,又不是她。婴儿卷在羊毛毯里,像花瓣里的花蕊,也安静下来。她在婴儿柔软的头顶上亲了一下,嗅到一股芬芳,不知来自何处,令她感到惊异。

这期间,郁晓秋的姐夫回来过一次,是暑假。婴儿一百天光景,也就是说,距离姐姐亡故已有三个来月。他对孩子依然没有兴趣,他母亲抱到他跟前给他看,他敷衍地看一眼,就转过去了。婴儿的脸上,刻的都是亡妻时的凄楚景象。他在家只度了一半的时间,另一半时间往浙江实习去了。可能是在北方生活,也因为丧妻的打击,姐夫不再是几年前的俊朗青年,而是略变得枯瘦萎黄和粗糙,发顶有些稀薄,近视眼镜度数又加深,目光就变得模糊。他应父母的叮嘱,给郁晓秋带了一件礼物,一双塑料凉鞋,鞋带上有一个镀黄的金属饰扣,上海任何一家小铺上,都能买到比这雅致的凉鞋。尺码也不合适,小了一码半,也许是照了妻子的脚买的。可见出他对买礼物的不在行,还有不在心。父母在信中和他说了许多,郁晓秋的出力和辛劳,他曾在一封回信里,郑重地提出,倘若郁晓秋要这个孩子,可以给她。下封信就给他父母斥回去了。他们是重子嗣的人家,哪里作兴将自己孙子送出去的。但从此却多了一重疑心,他们真怕郁晓秋会把孩子带走。孩子很跟她,也可怜他没有娘,爹也不待见他,只有这个阿姨,他们又已老得带不动他了。有一次,郁晓秋带婴儿回去,临走,老人竟很可怜地问出一句:还回来吗?郁晓秋并没感到惊异,只是好笑他们真老了,老到有些糊涂。等姐夫寒假回来,儿子已经满地爬,而且满嘴咿咿呀呀。郁晓秋将地板擦干净,沙发靠枕拦住床脚和橱柜的脚,让他自由地爬行。他爬到郁晓秋跟前,喊了她一声:妈妈。郁晓秋当是小孩子乱发音,没在意。可他爬开一会儿,又爬回来,像只小狗样,仰了脸对她连吠几声:妈妈!她就喝斥他了。他则嘻开嘴,很皮厚地笑。玻璃窗透进的阳光里,小脸上一层绒毛,绒毛下是细极了的毛细血管,真是娇嫩啊!她不舍得对他凶,却真生气了,不理他。他祖母打圆场道:

姨妈妈也是妈妈！她发现原是他祖母教他这么喊，更窘了。她姐夫一人坐在他父母房间通向的阳台上看书，对这里的一切全无知觉。寒假里夹一个春节，孩子的大伯一家也回来了，那里人多，郁晓秋便少去了。年节放假，闲在家里，嗑瓜子嗑得嘴都破了。尤其是下午，刚入春，昼就长了。吃过午饭再到吃晚饭，像有无尽的时间。母亲被老娘舅拉到朋友家打牌去了，郁晓秋有时就去看场电影，一个人去，一个人回。邻里间，与她同龄的女伴都已嫁人生子，惟有她还是一个人。女伴们回娘家，有时会感叹，没想到郁晓秋反而落单，"那时候，你是最那个的了"——"那个"是什么？没说，心里都知道。总之不该是她，一个人。可也没什么，她的家人都是孤家寡人的命，母亲是单身，哥哥临到结婚，却逢牢狱之灾，姐姐倒是嫁了人，却早夭，这回轮到姐夫落单了。她从小就没有目睹过什么幸福，但并不妨碍她欢欢喜喜地长大。她同何民伟的一段，应当称得上幸福，有些情节回想起来都会一阵激动。虽然没结果，但她也是满足的，已经觉得比她周遭的人都好了。她就像那种石缝里的草，挤挤挨挨，没什么养分，却能钻出头，长出茎，某一时刻，还能开出些紫或黄的小花。

年节过去，姐夫家人都走了，郁晓秋就又去了。老的小的看见她来，都十分兴奋。这让她很感动，一直鼻酸着。那孩子依然叫她妈妈，她只得随他，却不应声。现在，她下了班直接就来这里，接过孩子带着。正在学走路的孩子，一刻离不了人，抱不住，挣着下来要走，一走就一摔跤。郁晓秋想出个办法，用一条他父亲的旧围巾，围在他肋下，驾辕似地在后面拉着，跟了他在房间里窜进窜出。这孩子虽然没娘，也像是没爹，围簇的人倒并不少，养成明朗快活的性格。他高声阔气地叫喊着，为自己跟跄的步子助威。郁晓秋和他在厨房门口僵持着，他挺起肚子，定要往里进，正是热火烹油的时刻，郁晓秋就不让进，将他往边上扯。他力大无穷，发出种种怪声，正相持不下，忽听里边"哐啷"一声，他祖母盛菜的盘子落在地上，碎了。郁晓秋一把将孩子从地上挟起，进去关上煤气的火，又将碎碗片踢到灶台底下，等空出手来时再收拾。回头见祖母苍白了一张脸，晓得宁波老法人家多半迷信，忌讳正月里破东西，赶紧念了几句"碎碎平安"。不料祖母眼里忽然噙了泪，拉住郁晓秋的手，颤声说：我已经老了，带不到毛头大了。这时，郁晓秋看见的是一个衰老、软弱的老人，而不是那个精明严厉的宁波老太。她眼泪也要下来了，哽着声音说：阿娘你一定能看见毛头结婚的。她们俩手拉着手，她和她母亲都没这么亲热过，这会儿不觉窘，只觉辛酸。她挣出手，腋下还挟着孩子，单手拿一个干净碗放在锅边，将菜盛出来，眼泪直接滴进碗里了。那晚她带孩子回家里睡的，因第二日是礼拜。早上，大人孩子都要在被窝里懒一会儿。那孩子自然话多，也不知说什么，东一声，西一声，又叫郁晓秋"妈妈"，郁晓秋照例不理睬。睡那边的母亲忽然出声了，骂道：他叫你，你应一声怎么了？会得死！郁晓秋并不回嘴，腾地从被窝里坐起，穿衣服下床了。

两边老人的意思，都表示得再明白不过了。无论是于姐夫那样的旧式家庭,还是郁晓秋母亲这样深谙世故人情,这样都是最圆满。可于当事人本身,却又最是难堪,这一关不知该如何突破。不想,事情竟也很简单。下一回,姐夫暑假回来,他父母便将这事与他谈了。他当时虽然没说什么,可这一日,同郁晓秋一桌吃饭时,他给姨妹搛了一筷菜,是一块鱼。放下了,筷子又回来,专门为挑去面上的一根刺。大人们都看在眼里。姐夫是个孝子,郁晓秋是他情有独钟的女人的妹妹,仅这两项便可接受。郁晓秋也敏感到老人与姐夫说了什么,还感觉到姐夫其实是一个体贴的男人。既然人人都默许了,郁晓秋似乎也没什么理由反对。过年,她已交虚龄二十八岁,并没有别的属意的人,对姐夫也不反感,只是陌生,她都没怎么看清过他的面貌。当他与姐姐结婚时,是个英俊的青年。如今,则是一个中年人的形象。她也晓得姐夫对她谈不上什么兴趣,虽然她是姐姐的妹妹,可事实上,她们是两种截然不同的类型。这不要紧,因郁晓秋对姐夫也没有什么谈得上是爱的感情。郁晓秋

和姐夫一起看了两场电影,在西餐馆吃了一顿饭,还一
同去南京路买了姐夫回学校要用的东西。这些都是谈
朋友必须的过场似的,然后才可进入婚事的议程。本应
该寒假里结婚的,可临到时候,双方都有些怕似的,又拖
了半年,还是暑假,这最不适宜结婚的溽热的天里,郁晓
秋和姐夫结婚了。两家的意思,都是从简,所以只请了
至亲好友,两桌酒席。已经和邻居家讲好,托他们照看
孩子,可临到走时,这孩子却突然闹起来,就是丢不下,
只得带着。结果也亏有了他,在人腿和桌腿间钻来钻
去,又念歌谣给众人听,趁着人来疯说些胡话,本是童言
无忌,不料竟讨了口彩。于是,制造了喜庆的空气。郁
晓秋这边没什么亲戚,就是母亲、老娘舅,还有几个旧同
侪。这一日,母亲显然很高兴,喝了几个满杯,破天荒地
抱了外孙。刚抱起,孩子就挣着要下,顺势放下来说:抱
不动了,像是一袋面粉。当郁晓秋和姐夫向她敬酒时,
她说:我两个女儿都给你了,你就要做我一个儿子。姐
夫是个知识人,母亲向对他敬而远之,第一次与他这么

说话。他也给了面子，斟满一杯酒，咕咚喝下去。眼睛里顿时有了泪光，酒意带出了对前妻的回想。郁晓秋照例是要挨母亲骂，骂她新衣服的袖口沾了酒渍，骂她这样的热天还留长发，堆在后颈脖捂痱子，还骂她拉小孩子的手臂，终有一天要拉脱臼。其实她骂她是因为从此，她要离开自己，心头不舍。母亲不是伤感的人，总是要用凶悍来抵抗软弱。这场酒席就在百感交集中结束，各自回家。

到家，郁晓秋要替孩子洗澡，却被他祖母拦住，推她进房间，还拉上门。房间里很热，说过了，七八月份本不是个适合结婚的日子。窗开着，却放下竹帘，风还是有的，只是掀不动帘子，掀起一些，就打下来，"啪"地响一声。两人汗淋淋地坐着，因为刚忙定，也因为紧张。他们真像是一对父母之命、媒妁之合的男女，头一个洞房之夜，谈不及喜欢，就是窘。因坐着尴尬，郁晓秋便立起来整理房间。这间房间，还是姐姐在时的样子，橱里抽屉里，都放着姐姐的东西，架上是姐姐的书。姐夫说：你姐姐的东西,你都可以用。他的口气是给郁晓秋一个奖赏,也是一个谈及她姐姐的由头。他告诉道:我比你姐姐大两岁,比你呢?郁晓秋做了道加法:七岁。你们相差五岁?他不相信地看看他的姨妹。我比我姐姐老相,郁晓秋承认说。姐夫坐在沙发上,两只手张开了,对住指尖,在面前搭成一座桥,他笑了一笑说:你姐姐说你很乖。郁晓秋不知是姐姐真说过这话,还是姐夫为夸奖她而编造的。她很想告诉姐夫,她和姐姐并不是亲密的,因她真有些受不起姐夫从姐姐身上转嫁给她的爱,但不知从何说起,只是低头坐着。姐夫就好像她的另一个兄姐,到了跟前,活泼劲全收起了。你和你姐姐还是有一点像的,姐夫说。这看走眼不知走到哪里去了,却也可见出姐夫在努力让自己接受郁晓秋。他只爱过一个人,就只得从那个人身上派生出其他的爱,倒是个情笃的人。这就是新婚晚上,他们两人的情话,都是关于她姐姐。他们直坐到下半夜,才先后洗澡睡下。天凉快些了,风从竹帘后面进来,被筛得很细,从身上抚过去。两人很快睡着了,虽然什么都没做,可是心里却感愉悦,最令人难堪的一夜安然度过。

一个暑假过去了,他们有了几宿夫妻之爱,彼此间就稔熟一些。带了孩子出去,是三口之家的模样。孩子总由她抱或搀,他在一旁,像那种长不大的,不愿为人父的男人。只有一次,乘黄浦江游轮看夜景,下船时,楼上楼下几股人流汇集在船舷,不由自主地推挤起来。船本来靠岸,就受了水流的阻,此时便动荡起来。一动荡,船上的人立不稳脚,更拥挤了。她姐夫这时从她手上抱过孩子,另一只手搀住她的手。郁晓秋贴在姐夫身边,嗅到他领口里散发出的汗味,感到了亲切。孩子看看他,又看看她,表情很惊讶,似乎不明白这两个人怎么会走在了一起。假期结束,姐夫回学校时,郁晓秋既有些不舍,又感到轻松。姐夫不在家,她说话走路都要响动大。但世上的夫妇形形色色,什么样的没有?像他们这样的也有,也可白头偕老。这是姐夫学业的最后一年,还要有两度聚散。倒也好,可以放慢进度,减缓紧张。聚散之间,郁晓秋的东西渐渐充斥了橱柜。姐姐的东西归置到一边,有的就打成包收进箱子里。像这样的宁波籍的老户人家,多有着永远也翻不着的旧箱底。姐夫毕业后,分回上海,在一家医药公司的研究部门工作。郁晓秋还在原先所在的街道厂,不过,不再是做塑料玩具,改成做一次性纸杯。中午趁吃饭时间,她就回娘家,看看母亲。母亲已经退休,但有时候会应邀到电视曲艺节目里,说唱一段旧曲。虽然是常来常往,到底是嫁出去的人再回来,看什么都拉开了距离。她走进弄堂,想这是自己从小进出的弄堂吗?怎么变得窄小了。走上楼梯,楼梯也是逼窄的,而且光线暗。见了楼上做账的人,侧过身让她走过去,已经成了陌路。母亲见她,也当她是久远未来的,要讲一些旧人的现状给她听,里边就讲到何民伟。何民伟竟离婚,妻子去了美国,他所在的线圈厂效益又不好,他家为他,专将房子调换成街面的,让他辞职出来开餐馆,结果和安徽籍的女厨工结婚了。郁晓秋还有意从他的餐馆门前走过一遭,见是一家只一个门面的饭馆,玻璃门上用红漆写了菜码,经济实惠。郁晓秋忽想起他们中学下乡时,一起办伙食的情景,许多细节陡地跳至眼前,却又迅疾退去,退去岸那边。

这一年,郁晓秋怀孕了,她意外而又欣喜。她在内心,有些怀疑自己不能生。与何民伟那么多次,没有出过事。和姐夫也有两年了,虽然聚散不定,可据人说,就是常分离的夫妻容易怀上。外人以为她是不要,因已有了姐姐的这个男孩,怕自己分心。她就拿这个安慰自己,没有也罢。连母亲有一回也说她是,只开花不结果。不想现在竟有了喜,公婆也很高兴,他们是不怕儿孙多的,倘不是如今的政策限制生育,他们不止是要有多少后辈呢!惟有姐夫不,他知道郁晓秋有喜,顿时紧张起来,竟要她去手术。他是被前妻的生产吓怕了。郁晓秋再三说,不会有那样的事发生,医生不也说过,姐姐的意外是多少万分之一的概率。这也安慰不了姐夫,他煞白了脸,还是要求郁晓秋中止妊娠。郁晓秋觉着好笑,又觉着姐夫可怜,再也看出姐夫是在乎自己的,就有一种甜蜜。有几次见他真急了,就哄他说下一日就去医院,到下一日且说有事,一日一日拖下来,就看得出身子了。有一日夜半,郁晓秋忽然惊醒,暗中看见姐夫的脸俯在她上方,看着她。她又醒了醒,才看出姐夫在哭,满脸泪光。不要生!他说,求求你不要生!她一阵心疼,将他搂到胸前,说:我向你保证,不会有事情!姐夫的脸埋在郁晓秋颈窝里,激烈地抽噎起来,挣出一句话:我只要有你。郁晓秋也哭了。两人拥着轻轻地哭,怕吵醒隔壁的老人孩子,使劲压低了声音。各自的伤痛的往事都涌上来,直哭到肝肠寸断,渐渐地却又生出一些欣悦,因两人是这样亲密,本来并不抱期望的亲密。郁晓秋抚开他额上的乱发,他的前额很白净,他还是一个清俊的男人。挺直的鼻梁,嘴形很端正,下唇正中有一道线。她说:其实我和姐姐不一样。他说:是的,很不一样。她说:我和姐姐不是一个父亲,我们互相间不太了解。她告诉他一些小时的事情,她从来没提过,以为姐夫一定没有兴趣听。可今夜里,姐夫就像一个屡弱的孩子,不再像是兄

长,反是郁晓秋变成年长了。她说着她对姐姐的疏淡的
印象,姐夫静静地听着,没有插嘴。关于他对她姐姐的
所有强烈的感情,都已经放纵地表达过了,现在轮到郁
晓秋来说她的了。说实在,连郁晓秋自己都没有好好正
视过她的兄姐,家庭,和生活。就好像在听着别人的事
情。静夜里的影像和声音都和平时不一样,有一些间
离,却格外清晰。

　　隔年的春天,郁晓秋顺利产下一个女婴。当听见护
士报告说:是个妹妹,她骤然间难过起来。从小到大许
多般难和窘,包括生育的疼痛,就在这一刹那袭来。可
是紧接着却是喜悦,觉着这个女婴分明是她一直等着
的,现在终于等到了,实是太好太好。因工场间正逢转
产与合并,郁晓秋趁机可有一个长产假。同事劝她辞
职,反正有先生挣钱,她不答允,想工作还是要有的。出
月子后,郁晓秋专门抽出一日去妇联信访办,咨询她这
样的情况能不能享受独生子女津贴。津贴虽然不多,可
总是每月一份,积起来亦能派上用场。丈夫在医药公司

做,效益虽好,可到底一个人养一家人。每周一次的信访,访客挺多,分开几张桌子进行。她排在三四人后面,听人们叙述各自的苦衷。有是为丈夫有外遇,有是反过来,被丈夫无端怀疑有外遇;有的问与公婆分家的房屋分隔,有的问产假间工资福利待遇。约一小时后,排到她。她如实说丈夫曾经有过一次婚姻,前妻亡故,留下一个孩子,而她本人只是一胎,能否算上独生子女。接待她的是个年轻女孩,刚出校门不久的样子,不像有阅历的人那么耐心,前边的接待又费了口舌,像郁晓秋这样的情形大约也遇到无数次,不等她说完就断然说不行,然后充大地教训道:你蛮好了,人家只有一个,你有两个! 郁晓秋只得站起身让出位子,走出门去。虽然吃了钉子,她却很情愿,一点不对那女孩生反感,因为她说了:人家只有一个,你有两个! 就像是对她生活的夸奖。

郁晓秋走在妇联所在的林阴道上,梧桐树影罩着她。她是一九五三年生人,肖蛇,今年便是三十二岁。刚生完孩子,是最对自己无心的时候。穿着宽大的旧衣服,头发永远是她的麻烦。因为自然鬈,剪短了更无法处理,只得留长,尽可能紧地编成辫子,又自觉不像个母亲,便盘在脑后,沉甸甸的一堆。碎发还是毛出来。她这种健康丰满的体形,到这个年龄,又经过妊娠,就变得壮硕。她看上去,就像是一个农妇,在自然的、室外的体力劳作和粗鲁的爱中长成,生活的。在她身上,再也找不着"猫眼"、"工场间西施"的样子,那都是一种特别活跃的生命力跃出体外,形成鲜明的特质。而如今,这种特质又潜进体内更深刻的部位。就像花,尽力绽开后,花瓣落下,结成果子。外部平息了灿烂的景象,流于平常,内部则在充满,充满,充满,再以一种另外的,肉眼不可见的形式,向外散布,惠及她的周围。

2003 年 5 月 16 日一稿上海

2003 年 7 月 10 日二稿上海